EN HONOR A LA VERDAD

Vicky Dávila

En honor a la verdad

Barcelona • Madrid • Bogotá • Buenos Aires • Caracas • México D.F. • Miami • Montevideo • Santiago de Chile

1ª edición: mayo 2016
2ª edición: junio 2016

Cra 15 Nº 52A - 33 Bogotá D.C. (Colombia)
www.edicionesb.com.co

ISBN: 978-958-8951-61-4
Depósito legal: Hecho
Impreso por: Editora Géminis S.A.S.

A mis compañeros de La FM por su valentía, a los buenos amigos, a mis oyentes y televidentes que siempre siento a mi lado, a mi madre por su apoyo incondicional, a mis tres hombres, Jose, Simón y Salomón por quienes sigo firme y a los miles de policías buenos y honestos que todos los días dan la vida por nosotros.

Índice

Prólogo

La soledad de Vicky

Por *Daniel Coronell*

Hasta hace pocos meses Vicky Dávila era una luminaria indiscutida del periodismo colombiano. Ella era presentadora del noticiero estelar de RCN Televisión, conductora de la comentada sección "La Cosa Política", directora de La FM un espacio radial que empezaba a ganar lugar entre los grandes programas de la mañana. El nombre de Vicky estaba en los labios de la élite del poder en Colombia y su carrera iba disparada.

Temida por muchos, odiada por algunos y querida también por la mayoría de los que la han conocido, Vicky ha hecho una carrera desde muy joven y desde la reportería pura y dura, impulsada por la pasión.

Todos los temas que cubre, todas las historias que cuenta, tienen un sello particular y un alma especial como si se jugara la vida en cada uno de ellos. Esa capacidad de énfasis y su facilidad para articular noticias bajo presión, en el vértigo de la transmisión en vivo, hicieron que se destacara muy pronto entre todos los periodistas de su generación.

Vicky también ha cometido errores —me pregunto ¿Quién no los ha cometido?— pero lo que la llevó de las cumbres de la figuración a los abismos del desempleo no fueron sus errores sino sus aciertos.

Con una investigación periodística sobre la corrupción en varios niveles de la Policía Nacional de Colombia, Vicky y su equipo tocaron un nervio sensible del poder. Su trabajo sacó a flote parte de la podredumbre en la institución, logró la renuncia del cuestionado general que la dirigía pero —por la gracia de los juegos de poder— también terminó cobrando la cabeza de la periodista.

El mismo día quedaron en el asfalto el investigado y la investigadora. "Un muera Sansón y mueran los filisteos" que tiene explicaciones profundas, más allá de la publicación de un controversial video que sirvió de pretexto para disfrazar de decisión editorial lo que realmente era una determinación de conveniencia empresarial.

También es claro que este juego macro de poder se dio en el contexto de otros pulsos de pequeños poderes en los medios de la Organización Ardila Lulle, dueña de RCN. El proceso de expulsión de Vicky había empezado meses antes, de manera lenta pero inexorable, sin embargo se habría prolongado largamente si no fuera porque con su investigación sobre la corrupción en la Policía, ella terminó tocando intereses estratégicos del grupo económico.

La Policía actúa como compañía de vigilancia gratuita de numerosas propiedades del grupo económico. Las empresas del conglomerado dependen de concesiones, tratamientos fiscales y normas que establece el Gobierno Nacional, con quien ha tenido una relación complicada en los últimos años debido al activo desacuerdo de los empresarios con la política de diálogos del gobierno con la guerrilla de las Farc.

Lo que menos necesitaba el grupo Ardila era tener una controversia abierta con los vigilantes de sus plantas, ingenios y torres de transmisión; mientras lidiaba con procesos por cartelización de precios del azúcar, abusos de posición dominante y trataba de evitar el surgimiento de un eventual competidor para su canal de televisión, cuyos ingresos se han reducido en los últimos tiempos.

Todos estos factores contribuyeron a la creación de la tormenta perfecta que ha dejado a Vicky Dávila sin empleo y aún más, sentada en el banquillo de los acusados ante los ojos de muchos que no quieren ver la foto grande, sino quedarse en la comodidad del último detalle.

En estos días de inmensa soledad para Vicky y de derrota para el periodismo de investigación en Colombia, como un todo, he sentido que ha faltado ímpetu de reportero para continuar esta investigación que no ha terminado. Los hechos que dieron lugar a esta publicación siguen vigentes, buena parte de ellos permanecen inexplorados. Hace falta un periodista que quiera echarse encima esa peligrosa carga.

El libro que usted tiene en sus manos cuenta, paso a paso, el origen de esa investigación periodística, su desarrollo y marca un punto alto en la carrera de Vicky Dávila que —por cierto— no ha terminado. Apenas está empezando.

Mayo de 2016

Capítulo I

Almendras amargas

El 17 de febrero fue el día más triste de mi vida profesional. El poder me mostró sus dientes y realmente me mordió. A las 6:30 de la tarde supe que mi tiempo en RCN había terminado. Aunque en honor a la verdad, mi despedida comenzó en la oficina de mi jefe cinco días antes con el tarro de almendras que el Gobierno me envió a través de la superministra María Lorena Gutiérrez.

Con esas almendras amargas el gobierno pidió mi cabeza por la investigación sobre la "Comunidad del Anillo" en la Policía y las denuncias que hicimos sobre la intensa persecución contra los periodistas de La FM. Las denuncias no solo salpicaron al general Rodolfo Palomino y a su círculo de asesores, sino que además incomodaron al presidente Santos, al ministro de Defensa, a la superministra Gutiérrez y amenazaron la estabilidad de uno de los principales conglomerados económicos del país, la organización Ardila Lulle.

Mi salida se produjo en medio de la polémica nacional que se armó por la publicación sin editar del video sexual de dos funcionarios públicos, presuntamente involucrados con la "Comunidad del Anillo", pero más allá de este incidente, nadie ha podido desvirtuar los graves hechos que denunciamos sobre lo que estaba ocurriendo en la Policía. Existió y probablemente sigue viva una red de prostitución en la institución dedicada a la venta de sexo, especialmente homosexual, a políticos y altos mandos de la institución, a cambio de favores y dinero, en donde presuntamente hay al menos una mujer muerta. Los seguimientos a periodistas siguen siendo motivo de investigación, al igual que el posible incremento injustificado del patrimonio del entonces director de la institución y las grabaciones que prueban cómo sus subalternos presionaron a un alto oficial para que cambiara sus denuncias de supuesto acoso sexual contra el general Palomino.

Esta historia tiene una génesis

El capitán Ányelo Palacios llegó por primera vez a mi oficina. Un hombre joven y simpático, alto, acuerpado, de ojos verdes y piel trigueña. Estaba angustiado, se le notaba en su rostro sombrío, porque al otro día le imputaban cargos en la justicia penal militar por haber denunciado lo que le pasó en la Policía desde que estaba en la Escuela de Cadetes.

Las palabras se le atropellaban, pero se aferraba a su versión. Empezó a relatar una vez más, con mucho detalle, lo que le había sucedido. Aseguró que el coronel Jerson Jair Castellanos lo había violado con otro hombre en una habitación del Club Militar en Bogotá, luego de haberlo drogado con una bebida. Mencionó al general Palomino, como uno de sus persecutores y llorando dijo que había hecho lo posible para encontrar las pruebas que dejaran al descubierto ante las autoridades a sus victimarios. Fue allí cuando me habló del comprometedor video entre él y el exsenador Carlos Ferro.

Aseguró que planeó la situación y grabó a Ferro porque el político, como congresista presuntamente se beneficiaba de la "Comunidad del Anillo". Afirmó que había intentado grabar al parlamentario en otra oportunidad con un reloj con cámara que le prestaron, pero no le funcionó y tuvo que aceptarle un segundo encuentro.

Ányelo me reveló que trató de obtener pruebas contra el general Palomino y no lo logró. Cuando le pedí detalles sobre eso, me dijo que simplemente no se presentó la oportunidad, pero me habló de un supuesto encuentro con el general en el que el alto oficial, según el policía, le habría hecho insinuaciones a cambio de trasladarlo a Bogotá para estar al lado de su hermana enferma que estaba a punto de morir. Según Ányelo, el director Palomino le puso una mano en el hombro y le preguntó qué habría a cambio del traslado. No hubo más detalles.

Vi el video. Más allá de lo escandaloso o grotesco, lo primero que tenía que resolver era si lo iba a publicar o no, para ello tenía que aclarar varios interrogantes: ¿Qué aportaba a nuestra investigación el material? Y fundamentalmente, ¿era de interés público? En mi equipo de trabajo, mirando el mapa completo de las denuncias que habíamos hecho encontré argumentos para la divulgación. Pero como la responsabilidad final de esta clase de noticias por lo grandes y complejas, recae en el director, consideré que sí debía publicarlo, que era una ficha relevante de la investigación periodística. Me la jugué sin dudarlo.

La información tiene un qué y un cómo. Aquí el video era el qué y el cómo la manera de divulgarlo. Decidí, después de una serie de consultas de carácter legal, que el video tenía que estar editado antes de ir al aire. Más allá de la imagen, el valor estaba en el diálogo entre el policía y el político, ambos funcionarios públicos y en un carro del Estado. Entendí que por lo explícito de la conversación había que sintetizarlo para dejar lo esencial. El 3 de febrero me reuní en el bunker de la Fiscalía con los coordinadores de las investigaciones de la "Comunidad del Anillo" y la corrupción en la Policía. Los funcionarios enfatizaron que para publicar el material debía estar judicializado y nos recomendaron que le hiciéramos la sugerencia al capitán Palacios para que él como víctima aportara el video a las investigaciones. Fuimos honestos y les revelamos a los fiscales cómo habíamos obtenido la grabación entre el exsenador y el policía.

En La FM no teníamos afán en publicar ese documento y menos después de las advertencias de los fiscales; durante casi un mes estuvimos consultando la viabilidad legal de su divulgación. Ese mismo tiempo lo usamos para investigar otros asuntos, como los antecedentes del entonces viceministro del Interior.

Comenzamos a trabajar en la edición del material para tener todo listo para el momento que decidiéramos que era oportuno publicar el video.

Recuerdo aquella mañana en la que junto con una de las periodistas del equipo escribimos el texto de la nota y señalamos los apartes del video que no debían salir al aire por lo explícitos y subidos de tono. Pero como no teníamos afán de publicar, nos dedicamos a otros pormenores de las investigaciones y la grabación nunca fue editada. La cinta fue un tema que ingresó a las tareas pendientes.

El martes 16 de febrero de 2016, parecía un día normal en la cabina de La FM. Como decimos los periodistas: "No había nada", para referirnos a que en el panorama informativo no había nada fuerte o extraordinario. Dentro del escándalo que estábamos investigando, teníamos planeado publicar el llamado a interrogatorio de un mayor en retiro por los hechos de la "Comunidad del Anillo" y los testimonios de cinco capitanes que se habían ratificado en sus denuncias sobre la red de prostitución en la Policía.

La noticia la empezamos a anunciar desde muy temprano para crear expectativa. Minutos antes de su publicación una fuente nos advirtió sobre una "muy importante" declaración que daría en cualquier momento el Procurador General, Alejandro Ordóñez, sobre los escándalos en la Policía Nacional. Aplazamos entonces la exclusiva y esperamos los anuncios de la Procuraduría.

Cuando una fuente alerta así sobre una gran noticia, el estómago y el corazón del reportero se estremecen. Una especie de ansiedad y nerviosismo se activan para establecer de qué se trata. Desde el director, los editores y los reporteros echan teléfono intensamente para cazar la noticia lo antes posible. Es una carrera contra el reloj. La fuente estaba cerrada y los datos eran fragmentarios y algunos contradictorios.

Pasadas las 8 de la mañana se acabaron las especulaciones. El Procurador General dejó tambaleando al director de la Policía, que pese a las graves denuncias que nosotros habíamos hecho, hasta ese momento estaba sólido y con el respaldo del presidente Santos, el ministro de Defensa y algunos medios de comunicación.

El Procurador anunció la apertura formal de tres investigaciones contra el general Rodolfo Palomino: por las chuzadas a periodistas, concretamente al equipo de La FM; por presunto incremento injustificado de su patrimonio —enriquecimiento ilícito— y por los hechos de la "Comunidad del Anillo".

Sobre este punto Ordóñez mencionó como posible prueba fundamental la existencia de un video entregado al Ministerio Público por el capitán Ányelo Palacios, en su calidad de denunciante y víctima, que probablemente involucraba en la red de prostitución a un excongresista, que ocupaba un alto cargo en el gobierno.

Las revelaciones del Procurador cambiaron la agenda informativa de los medios. Los extras y los "mucha atención", sonaron por todas partes. Incluso colegas que hasta ese momento estaban en el coro del gobierno de calificar las denuncias de La FM como una serie de chismes y rumores, comenzaron a creer en las denuncias periodísticas e incluso empezaron a decir que el general Palomino debía renunciar, que su situación era insostenible.

Los medios nos monitoreamos unos a otros para saber qué noticias están emitiendo. En ese seguimiento, que es minuto a minuto, me reportaron que los demás colegas estaban hablando del video que había revelado el Procurador y en especial sobre quién sería el congresista mencionado por Ordóñez.

Como nosotros habíamos comenzado con estas investigaciones, teníamos mucha más información y sabíamos de qué trataba el explosivo video grabado por Ányelo Palacios, y quién era el excongresista mencionado por el Procurador. Las palabras del Procurador fueron precisas en otro aspecto. El video estaba judicializado, era una de las posibles pruebas importantes del Ministerio Público para descubrir, procesar disciplinaria y penalmente a los presuntos integrantes y 'beneficiarios' de la "Comunidad del Anillo".

El documento de apertura de investigación de la Procuraduría General de la Nación es contundente:

"Adicionalmente y con el ánimo de probar la red de prostitución masculina y de la que posiblemente fue víctima, el señor capitán Ányelo Palacios Montero efectuó algunos señalamientos en contra del señor Carlos Roberto Ferro Solanilla, entonces senador de la República para el momento de los hechos que se denuncian. Al respecto el declarante adjuntó un registro audiovisual que en su criterio sería una de las pruebas que demostraría la conducta presuntamente irregular.

"En efecto, el anterior testigo no solo relató que oficiales de la Policía Nacional estarían involucrados en una red de prostitución masculina en esta institución, sino que ese modus operandi también se pudo haber presentado en el Congreso de la República a través de oficiales de la Policía, como el entonces coronel Jerson Jair Castellanos Soto, quien posiblemente era el enlace de dicha corporación. Pues bien, una de las finalidades de esa presunta irregularidad, sería el lograr apoyo político para ascender en la carrera policial. Esa práctica conforme a lo dicho por el declarante, pudo haber ocurrido entre los años 2004 y 2008. Período en el cual algunos policías serían obligados a llevar una bandera para que algunos congresistas pudieran escoger a aquellos uniformados que fueran de su agrado o de su gusto, con el fin de satisfacer sus deseos sexuales.

"Sin embargo, en lo que respecta al Congreso de la República, ya habrían pasado más de 5 años para iniciar la correspondiente acción disciplinaria. Ni siquiera podría aplicarse la norma contenida en la ley 1474 de 2011. Por cuanto esta fue proferida con posterioridad a la conducta que se denuncia.

"Así las cosas, este despacho se abstendrá de iniciar alguna actuación disciplinaria en contra del entonces senador Carlos Roberto Ferro Solanilla y demás miembros del Congreso de la República, sin prejuicio de que en lo sucesivo, se puedan recaudar otras pruebas que eventualmente acrediten que dichos hechos irregulares se hayan seguido presentando en lapsos respecto de los cuales la acción disciplinaria no esté prescrita.

"En ese orden de ideas, lo denunciado por el señor Ányelo Palacios Montero podría tener incidencia penal, pues habría elementos que permitirían inferir conductas punibles de proxenetismo, inducción a la prostitución y trata de personas de miembros de la Policía Nacional, comportamientos estos en los que presuntamente habrían participado el entonces senador Carlos Roberto Ferro Solanilla y algunos oficiales de la Policía Nacional. En este sentido este despacho en virtud de lo establecido en el numeral 24 del artículo 34 del código disciplinario único, estima necesario expedir copia de la declaración y del medio aportado por el declarante para que se remita a la Fiscalía General de la Nación para lo de su cargo y competencia".

La Procuraduría le dio carácter probatorio al video en ese contexto; entonces fue el momento en que decidí publicarlo. El video estaba sin editar, aún así, sentí que tenía un alto valor periodístico.

Casi todos los que me cuestionan sin atenuantes esa decisión, señalan que lo debí editar. Acepto ese debate. Pero si lo edito, seguramente me hubieran acusado de alterar o haber manipulado una prueba. Por eso insisto en que había que publicar el video en todo caso. Sentí que era mi deber como periodista, así fuera inconveniente, incluso para mí.

A simple vista podía parecer una conversación privada entre una pareja homosexual, con una alta carga erótica. Pero vale la pena revisar el contexto: una víctima, en este caso el capitán Ányelo Palacios, quien grabó el video en busca de una prueba que dejara al descubierto a uno de sus supuestos victimarios. La conversación se da entre dos funcionarios, uno senador de la República en el momento de los hechos y el otro, un oficial de la Policía, en un carro del Estado y quizás en horas laborables.

En uno de los fragmentos más importantes hablan claramente de hacer favores a cambio de sexo.

Ferro: *¿Cuándo fue que tú comenzaste…?*

Ányelo: *¡Pequeño no! Ya grande, después de la escuela más o menos… La primera vez que lo hice fue por un favor.*

Ferro: *¿Un favor?*

Ányelo: *Que me hicieron, sí.*

Ferro: *¿Quién, un policía?*

Ányelo: *No, un civil. Entonces, pues tocó contribuir.*

Ferro: *¿Cuántos años tenías?*

Ányelo: *Como 21 o 22.*

Ferro: *¿El tipo cuántos?*

Ányelo: *¿Él? como 45 o 46.*

Ferro: *¿…comiste rico?*

Ányelo: *Pues, la verdad, fue bastante duro no, porque uno nunca ha hecho eso. ¡Bastante duro!*

Ferro: *¿Y después?*

Ányelo: *Y después, pues ya como dos o tres veces más, pero por favores han sido. No han sido así, que por qué uff!! Es que me encanta, que me guste, ¡no! Y usted, porque la vez pasada me propuso. Pues no sé, probar a ver.*

Curiosamente dos días después, el exsenador Ferro, aseguró que conoció al denunciante en su labor de policía y que le hizo varios favores. Los periodistas que lo entrevistaron jamás le preguntaron cuáles fueron esos favores que él le hizo a Palacios y cómo terminó en una escena sexual con otro funcionario, al que reconocía haberle hecho favores, después de conocerlo en un municipio de Cundinamarca en cumplimiento de sus funciones, donde el capitán hacía parte de la Policía de tránsito.

Entrevista BLU[1]

Periodista: "¿Cómo conoce usted al capitán Palacios...?".

Ferro: *"No, simplemente para no dar mayor explicación, yo le he hecho muchos favores por la vida política a la gente, en todo sentido... Algún día se acercó y me dijo que tenía una serie de dificultades y que buscaba que le pudieran ayudar por unos temas que estaba enfrentando en su momento. Esa fue la primera vez. Después se acercó nuevamente para pedir que se le ayudara en unos temas, pero de resto yo nunca tuve una relación profunda en ningún sentido".*

El modus operandi básico de la "Comunidad del Anillo" es recibir favores a cambio de dar sexo. Ascensos a cambio de sexo, traslados y bienestar laboral a cambio de sexo y sexo a cambio de dinero.

En noviembre de 2015, tres meses antes de todo esto, Ferro había asegurado que no conocía al capitán Palacios. Pero el video prueba que sí se conocían y de por medio estaba la denuncia del oficial que desde 2014 señalaba al exviceministro como uno de los supuestos "usuarios" de la red de prostitución.

Tras la publicación del contenido del video en La FM varias cadenas radiales y otros medios de comunicación nos pidieron el material para divulgarlo y solo unos minutos después, el viceministro Carlos Ferro renunció a su cargo, aunque en la Casa de Nariño intentaron vender la idea de que su salida estaba lista desde hacía algunos días y que no era por los anuncios del Procurador General. Al viceministro le aparecieron importantes defensores: Juan Fernando Cristo, su exjefe y algunos congresistas de la Unidad Nacional.

En un comunicado el general Palomino anunció que, pese a los graves señalamientos de la Procuraduría, seguiría en el cargo de director de la Policía Nacional. Lo triste es que la publicación del video desvió el debate de fondo; el director de la Policía estaba

1. 18 de febrero de 2016, entrevista a Carlos Ferro y su señora Marcela Pineda, mesa de trabajo de Mañanas BLU, director Néstor Morales y Noticias Caracol director Juan Roberto Vargas.

siendo investigado por las chuzadas a periodistas, por presunto incremento injustificado de su patrimonio y porque presumiblemente hacía parte fundamental del escabroso episodio de la "Comunidad del Anillo". Todos se olvidaron de eso y se dedicaron a cuestionar duramente la divulgación de la cinta.

La polémica se encendió como hoguera en las redes sociales. Los cuestionamientos dejaron de ser para el director de la Policía y se enfilaron contra la directora de La FM, por una decisión periodística.

Esa tarde estuve con mi equipo organizando lo que haríamos al día siguiente. Para mí era extraño que el debate se hubiera centrado en la conversación sexual entre Ferro y Palacios, y no en lo que podía haber detrás, pues muchos querían calificarla como una simple conversación "privada".

¿Si la víctima estaba diciendo la verdad? ¿Y si Ferro había hecho parte de la red de prostitución que servía desde la Policía a altos mandos y a congresistas? Nada de eso parecía importarles a los enardecidos. A ellos se sumaron los que se sintieron ofendidos o preocupados o que, por una razón u otra, vieron amenazados sus intereses ¡en fin! Algunos colegas también a gritos clamaron aquel día como el más oscuro para el periodismo nacional:

GustavoGómezCórdoba @gusgomez1701
Termina un día fatal para Ferro. Pero ha sido un peor día para el periodismo serio y sensato. Hoy se cruzó un límite peligroso.
552 502

Nestor Morales @NestorMoralesC
Seamos sinceros: ese video se publicó por el morbo y el chisme, o aporta algo en un debate serio? Hoy se destruyó una familia y su intimidad
584 459

Nunca los vimos así de iracundos con la corrupción en la Policía. Otros como mi excompañera Claudia Gurissatti, curiosamente me felicitaron por el video, pero luego me lanzaron piedras y ella en especial, enfiló sus baterías para que la organización entrara en un ataque de nervios con las presiones del gobierno Santos.

No pretendía que todos estuvieran de acuerdo conmigo. El debate es valioso cuando no hay odio de por medio, ni intereses mezquinos. Muchos pedían mi cabeza. Entre otros, el presidente Santos, que al día siguiente de la publicación se "quitó" la banda presidencial para criticar mi trabajo y mostrarlo como un mal ejemplo del oficio, en una conversación con la periodista Ángela Patricia Janiot[2].

Janiot: "¿Qué le parece, si lo vio, las consecuencias y bueno su reacción a la renuncia del general Palomino, del viceministro Ferro y de estas denuncias que están investigando la Procuraduría y la Fiscalía sobre esta posible "Comunidad del Anillo" entre los oficiales de la Policía?".

Santos: *"Ángela Patricia, sobre la renuncia del general Palomino yo ya me pronuncié esta mañana, di una declaración y creo que quedó claro. Yo espero que rápidamente las entidades que están investigando den su resultado. No se puede señalar a un general y acusarlo de ciertas cosas que, él sostiene con mucha convicción, que nada tuvo que ver con lo que lo están acusando. Lo del video, yo le devuelvo a usted la pregunta: ¿Usted es periodista, yo soy periodista, a usted le parece divulgar ese video buen periodismo?".*

Janiot: "La verdad es que no lo he visto. Pero no, no, no, pero bueno, ya venía para el evento y no lo pude ver. Pero sí sé que ha sido muy criticado y muy cuestionado por los colegas".

---

2. 17 de febrero de 2016, conversación entre la periodista Ángela Patricia Janiot de la cadena CNN en español y el presidente Juan Manuel Santos, durante el evento 'Colombia hacia un país de altos ingresos con movilidad social' organizado por Foros Semana en el club El Nogal.

Santos: *"Y los colegas, los periodistas deberían hacer un cuestionamiento ellos mismos, de aquí se está saliendo de madre ese tipo de ataques, información, que eso no es un buen periodismo. Yo se lo digo como periodista, no como presidente".*

Janiot: "Gracias, gracias por su respuesta".

Lástima que esa sangre de periodista no le haya aflorado al presidente el día en que me citó a la Casa de Nariño y me escuchó durante dos horas contándole que los periodistas del equipo de La FM estábamos siendo víctimas de chuzadas y seguimientos. ¡No! Ese día el presidente Santos olvidó qué era ser periodista y decidió proteger a los victimarios, descalificando nuestras denuncias, ridiculizándonos y ayudando a tapar burdamente lo que probablemente hicieron subalternos suyos. El presidente Santos nos puso en un peligro mayor.

Después de las opiniones del presidente hablé con mi jefe por teléfono. Estaba muy angustiado. Yo lo había mantenido al tanto de los pormenores de la investigación y pensé que él entendería las razones periodísticas. Él sabía que yo tenía el video en mis manos desde hacía casi un mes y yo le había hablado detalladamente de su explosivo contenido. Al otro lado del teléfono solo escuché a un empresario asustado. La conversación fue corta y me aseguró que las "retaliaciones que se vendrían para la organización por parte del Gobierno serían muy graves". Nos despedimos y me eché a llorar.

Recordé lo ocurrido cinco días antes para entender lo que estaba sucediendo. El 9 de febrero, Día del Periodista, el equipo de investigación de La FM fue premiado por el Círculo de Periodistas de Bogotá (CPB) por el trabajo: "La mala hora de la Policía", un compendio de las denuncias que involucraban al director de la institución y a algunos de sus subalternos.

Esa noche sentimos que el gremio nos estaba acompañando en la dura batalla periodística que habíamos emprendido sin medir las consecuencias, ni los riesgos, incluso para nuestra integridad y la de nuestras familias. Muchos nos advirtieron que la Policía, sobre todo a ese nivel al que llegamos, al nivel del director, era intocable y que toda denuncia iba a tener un precio muy alto.

Fue emocionante recibir de la periodista María Isabel Rueda la estatuilla con la que nos hacían el reconocimiento a la mejor investigación. Me acerqué al micrófono, saludé a los asistentes y aproveché la oportunidad:

> *"Quiero decirle al señor presidente que la crisis en la Policía no es un chisme y que las pruebas de las chuzadas contra los periodistas sí existen".*

Hubo aplausos en el auditorio, pero eso aumentó la inconformidad en la Casa de Nariño, que a propósito había cancelado la visita del presidente Juan Manuel Santos al CPB porque nosotros, los periodistas de La FM, estábamos entre los ganadores por haber denunciado la corrupción en la Policía. El general Palomino, tan afín a estos eventos, tampoco asistió.

Al día siguiente del premio, revelamos el contenido de otra investigación: el contrato de la Presidencia de la República por 15 millones de pesos en almendras. El tema causó una gran indignación en la opinión pública. No por la cuantía, 15 millones de pesos no son nada en los gastos de un Gobierno, sino por el significado que tenía una compra innecesaria, en un país con serios problemas económicos y donde se venía pidiendo austeridad. Las almendras no eran precisamente un símbolo de ahorro gubernamental.

Ese mismo día, la superministra y mayor consejera, María Lorena Gutiérrez, se reunió con mi jefe. Le expresó la gran molestia en la Casa de Nariño por la historia de las almendras y decidió enviarme un mensaje claro. Le dio a mi jefe un tarro de los dulces para que me lo entregara. La doctora Gutiérrez también le habló de la gran "preocupación del presidente Santos con nuestras denuncias". Era claro que en Palacio querían que yo supiera que estaban hablando sobre mi trabajo con mis superiores. Veinticuatro horas después de la visita de la superministra, mi jefe recibió otra visita del gobierno. Esta vez el ministro de Defensa, Luis Carlos Villegas, llegó con un mensaje claro sobre la "inocencia" del general Palomino, aun sin haber culminado las investigaciones. Esa tarde hablaron por largo rato.

Mi jefe me citó inmediatamente; lo esperé dos horas en la sala de juntas, cuando llegó se veía cansado y muy preocupado. Me contó sobre las dos visitas que le llegaron desde la Casa de Nariño y la molestia del presidente Santos. Se paró y sacó una bolsa de plástico con un tarro de las finas almendras que habíamos denunciado. Lo abrí, era dorado y marfil, estaba amarrado con una cinta del color de la bandera nacional y marcado con un letrero grande debajo del escudo del país que decía "Presidencia de la República de Colombia"; las almendras eran grandes, de color amarillo, azul y rojo. Le dije que me parecían muy cínicos en el gobierno al mandarme ese "regalito". Me pidió que llamara a la doctora María Lorena y le diera las gracias, le respondí que "ni muerta". Él siempre me permitió hablarle francamente, aún hoy se lo agradezco.

Yo sabía además que María Lorena estaba prevenida porque en La FM publicamos los contratos que tenía con la Policía y otras entidades del Estado, Jorge Hernán Cárdenas, hermano del ministro de Hacienda, uno de los miembros de la comisión del gobierno que supuestamente iba a investigar la corrupción en la institución. La empresa que recibió los millonarios contratos se llama "Oportunidad Estratégica[3]"; días después de salir de RCN confirmé un dato importante: uno de sus socios fundadores fue la doctora Gutiérrez. Ella vendió por 20 millones de pesos sus

3. En el documento de acto de constitución de la sociedad Número 1625 AA 9391630 consta que María Lorena Gutiérrez se asoció en agosto de 2002 con Jorge Hernán Cárdenas y Marcela Cárdenas para crear la sociedad Oportunidad Estratégica Limitada.

En escritura pública de la Notaría 25 del circuito de Bogotá del 10 de agosto de 2010 María Lorena Gutiérrez cedió sus acciones de Oportunidad Estratégica Limitada a la señora Marcela Cárdenas por 20 millones de pesos.

11 de agosto de 2010 María Lorena Gutiérrez es nombrada Consejera Presidencial por el gobierno Santos mediante decreto.

acciones el martes 10 de agosto de 2010 y fue nombrada por decreto del presidente Santos al otro día, el miércoles 11 de agosto. Por eso nada en este caso resultaba casual.

En el momento del encuentro con mi jefe y el regalo de las almendras no me di cuenta que ya estaba sentenciada mi salida de RCN.

"Mire, el presidente quiere que nos reunamos con él, quiere arreglar este problema", me dijo mi jefe. Yo, llevada de mi parecer y mi carácter, le contesté: "Yo no tengo nada que arreglar con el presidente, aquí no se trata de arreglos, aquí hay delitos de por medio. Yo no necesito al presidente, pero sé que usted sí doctor y como yo trabajo para usted, yo lo acompaño, pero no me pida que haga lo que no voy a hacer. No voy a dejar de investigar las andanzas del general Palomino, tampoco voy a cambiar mi opinión sobre él y menos sobre el manejo equívoco que el presidente Santos le ha dado a este caso".

Él se frunció y fue insistente en que venían retaliaciones muy graves para la Organización Ardila Lulle (el impuesto a las gaseosas, la renovación de la licencia del canal RCN, el tercer canal, la sanción por el alquiler de un grupo de emisoras, etcétera).

Esa noche me dijo que la familia del general estaba destrozada y que no "veía" ninguna prueba contra el oficial. Excúseme doctor, le pregunté: ¿Estoy sentada frente a otra persona? Yo a usted le he explicado todo, nunca me expresó dudas sobre las investigaciones que hemos hecho, en cambio siempre me apoyó y ahora me dice que no hay pruebas. ¡Se notaba que la señora Gutiérrez y el ministro Villegas habían hecho bien su trabajo! Aproveché y de nuevo le expliqué de manera detallada en qué consistía el trabajo que habíamos publicado.

Me habló de las palabras que le dije al presidente en la entrega de los premios CPB, se veía mortificado porque habíamos hecho una promoción al aire con eso. Hasta esa noche sonó la promoción del premio. Después me reclamó porque en diciembre en un editorial yo le había dicho al presidente Santos que él se iría en tres años y yo seguiría siendo periodista toda mi vida. Pero si la Organización me había aplaudido el editorial ¿Qué ocurría ahora? Sin duda, le habían reclamado personalmente a mi jefe por ese tema. Yo en tono de burla le dije que si el presidente se iba a quedar más tiempo tenía que decirnos por si iban a reformar otra vez el articulito. Con los hechos quedó demostrado que en todo caso Santos se irá al finalizar su mandato y yo, aunque me quedé sin trabajo, seguiré siendo periodista hasta que me muera, a un reportero no lo hace reportero el medio, sino sus historias y esas las seguiré contando desde donde esté, ¡si Dios quiere!

Lo último que me pidió el jefe esa noche fue que no hiciera este libro. Él me había dado su visto bueno y sabía que en 15 días debía entregarlo a la editorial. Yo accedí a su petición porque no me sentía capaz de contrariarlo en medio de tantas presiones del Gobierno.

Ya habían tenido que pagar la multa de 300 mil millones de pesos por los líos del azúcar. La Organización sabía que este Gobierno era capaz de actuar contra ellos sin consideraciones.

En la despedida le dije que yo no podía confiar en la Policía, que el Gobierno estaba muy agresivo conmigo y que solo me quedaban él y RCN, que si me quitaba el respaldo quedaría en el asfalto. Él solo sonrió. Hoy sigo pensando que es un señor bueno, pero mi cabeza en bandeja servía para salvar los intereses de la empresa, sus intereses.

Ya mi jefe había recibido en días pasados una llamada del general Rodolfo Palomino, quien trató de explicarle las raras, sorpresivas e intimidantes visitas de la Policía a mi casa. En esa llamada aprovechó para decirle que recordara todo lo que él y la institución habían hecho por la Organización en el Cauca, a propósito de las invasiones en sus terrenos azucareros. ¿Si eso no es una especie de chantaje y presión, qué es entonces?

Cinco días después de las visitas de los funcionarios de Palacio, ante la polémica por la publicación del video de Ferro y las críticas del presidente Santos, salí del aire. Todo ocurrió tan rápido que ni siquiera hubo tiempo para despedirme de mis oyentes y del equipo.

Llegué a mi casa en la noche del 17 de febrero, miré a mi esposo y a mis hijos y me desplomé, no sabía cómo explicarles que no estaría más en RCN, entré en estado de shock, entre sollozos les relaté lo ocurrido y a las 10 de la noche el noticiero CM& confirmó como noticia de última hora mi salida de La FM.

De inmediato algunos colegas me contaron que el propio presidente habló telefónicamente con Yamid Amat y le confirmó mi salida. De hecho fue la periodista que cubre Palacio para CM& la que hizo la nota al aire. Más claro, imposible.

El mismo día que terminó mi contrato con la Organización Ardila Lulle, el general Rodolfo Palomino le pidió al presidente su retiro como director de la Policía. Las investigaciones lo tumbaron, no aguantó más. Acompañado de todos los generales y de su familia, dejó su cargo, a pesar del apoyo incondicional del presidente Santos.

El Procurador Alejandro Ordóñez le dejó la puerta abierta al alto oficial para que renunciara. Supe que si no lo hubiera hecho, esa misma semana habría sido suspendido del cargo. El general Palomino se enteró, lo habló con el presidente y se fue.

Como una paradoja de la vida, el mismo día Palomino, el denunciado y yo, la denunciante, estábamos fuera de combate y apenas unas horas antes el viceministro Ferro también había tenido que dejar su cargo en el Gobierno.

El mundo se me vino encima. Las redes sociales y los medios hablaban sobre el video y sobre mí. Palomino, Ferro, el capitán Palacios, la "Comunidad del Anillo", los asesinatos, las víctimas y las grabaciones denunciadas por el equipo de La FM, pasaron a un segundo plano.

Destapamos una olla podrida, cuya presión explotó en mí.

Capítulo II

Sobre mi cadáver

El presidente estaba allí, vestido de colores, se veía fresco y elegante. Bajó las escaleras y quedamos solos en un salón de la casa privada de Palacio. Yo estaba atribulada, pero cuando lo vi, confié en que él me daba esperanza. Me sentía como corcho en remolino con lo que nos estaba pasando.

Por primera vez en mucho tiempo no me percataba de que era diciembre, ni la noche de las velitas, no había comprado regalos y ese día mi cerebro se había desenchufado, me levanté, desayuné y volví a la cama, dormí hasta la una de la tarde. Claro. Ya había repasado una y mil veces los artículos de El Espectador y El Tiempo sobre los correos anónimos que me habían llegado días antes. Estaba agotada.

El presidente Santos me llamó el domingo 6 de diciembre y me citó a la Casa de Nariño. Francamente estaba esperando su llamada ante los hechos tan graves que estábamos denunciando. Ya habíamos conversado telefónicamente, días después del 27 de octubre de 2015, tras las primeras publicaciones contra el general Rodolfo Palomino.

Lo tenía en frente, me dedicó todo su tiempo ese 8 de diciembre festivo. La cita fue a las 4 de la tarde. Durante nuestra conversación de casi dos horas, entró tres veces alguien de servicios generales, me dio agua y no recuerdo si el mandatario pidió otra cosa. Luego nos interrumpió porque Humberto de la Calle llamaba al presidente desde La Habana. Sin duda, era para algo muy importante (al otro día se supo del acuerdo de justicia con las Farc); Santos le hizo una seña al hombre y le dijo: "Ahora no".

Más adelante, lo llamó su superministra, la doctora María Lorena Gutiérrez. Tampoco pasó al teléfono: "Dígale que ahora no". Hablé sin parar, Le expliqué todo. Él tomó notas y me interpeló algunas veces pidiendo precisiones sobre algunos de los hechos que ocurrieron alrededor de las denuncias de La FM, de las amenazas y chuzadas contra los periodistas. El presidente se veía muy interesado en escucharme, estuvo atento todo el tiempo, le hablé con confianza.

Durante el encuentro él se sentó a mi izquierda, en un asiento que parecía de comedor. Yo me ubiqué a su lado, en una pequeña poltrona en la que me veía más bajita, como sembrada. Le pregunté si había hablado con el general Palomino de todo esto: "Sí, ayer lunes me acompañó a Cali, al regreso le dije venga general, a mí no me está cuadrando su libreto. Yo les hablo duro a los generales".

Le interrumpí: ¡Imagino, para que sepan que usted es el que manda!

El presidente aseguró que le preguntó al alto oficial si había hecho una investigación interna de lo que denunciaban los periodistas. Según el jefe de Estado, Palomino, en esa conversación, estuvo corto de palabras y empezó a decirle que todo era un complot en su contra, todo ese 'carretazo'. Versión que le ayudó a difundir el novato ministro de Defensa, Luis Carlos Villegas.

Santos hacía la mímica de cómo había sido su conversación con el general, mientras me contaba que al final, le insistió:

"General cuadre su libreto que a mí no me está cuadrando". Pensé que las dudas que tenía el presidente, eran las dudas de una persona sensata ante el problema. No estábamos hablando de un funcionario de quinta categoría, estábamos hablando del director de la Policía Nacional y en medio de un momento crucial para Colombia que parecía entrar en la recta final del proceso de paz con las Farc en Cuba.

—Presidente tengo que contarle algo que me tiene muy pensativa —le dije mirándolo a los ojos. Asintió con la cabeza, como diciéndome "adelante".

—Presidente es que ayer en la noche me llamó el general Palomino, llamó a mi celular. Yo estaba en la presentación de Navidad en el jardín de mi hijo Salomón. El teléfono timbró, era él, le mostré sorprendida a mi esposo y me dijo "contéstale". Le contesté y salí del auditorio. Estaba muy amable, cosa que de entrada me pareció extraña, porque esa mañana me tiró el teléfono en la entrevista que le hice en La FM" —el presidente seguía atento a mi relato—. El director de la Policía me dijo que si podía recibir al general Mena, inspector de la Policía. Obvio presidente, le dije que no. El presidente me interrumpió y exclamó: "Claro, como yo le dije que si ya estaba investigando, que si Mena ya se había reunido con ustedes".

Retomé. —No sé, el caso presidente es que el general Palomino me pidió que le entregara los correos anónimos que me llegaron en donde me envían las pruebas de los seguimientos y chuzadas. Yo le dije al general que no, que él hiciera el trámite formal ante la Fiscalía. Que me daba pena, pero que yo no podía confiar y menos en la inteligencia de la Policía.

Le conté al presidente que el director de la Policía me insistió tanto: ¡Usted no se imagina! Me reiteraba que aunque fuera "unito" que le diera, que él con eso "podía hacer maravillas", que ellos tenían la mejor tecnología y que en horas podían dar resultados.

Me hizo mil promesas: Que él iba a destituir y sancionar a quienes estuvieran involucrados en eso. En fin, presidente yo me mantuve en el no. Me dio mucha desconfianza esa llamada en ese tono tan amable de Palomino.

El presidente solo hizo: ¡jmmmm! Y sonrió. Presidente —seguí— usted no sabe con lo que me salió el general Palomino, me dijo: "¿Fui muy grosero esta mañana?". Le respondí, tranquilo general, yo entiendo y lamento mucho todo lo que ha sucedido. Realmente yo a usted lo he apreciado y admirado. Al final, me le puse seria, le hice una petición, que no "jodieran más a mis hijos y a mi marido". Él antes de despedirse, me dijo que hoy me llamaba, que lo pensara e insistió en que le entregara los correos. Hablamos 17 minutos. Tan pronto colgamos llamé al fiscal del caso y le conté. Me dijo que no podía entregarle nada al general, además hablé con el director del CTI y también me dijo: "Si el general la vuelve a llamar, dígale que me llame".

Ante mi relato, el presidente Santos solo frunció el ceño y me dijo: "Tranquila, yo no voy a dejar que les pase nada".

Cuando hablamos de las grabaciones en las que oficiales muy cercanos al director de la Policía intimidaban y amenazaban al coronel Reinaldo Gómez para que cambiara su denuncia de acoso sexual contra el general Rodolfo Palomino, el presidente me detuvo y me preguntó por los oficiales que aparecían en el escándalo.

Recuerdo que fui clara en que tenía la impresión de que el general Palomino los protegió hasta donde pudo. Le conté, que tras las denuncias de La FM todos fueron apartados del cargo y que los dos coroneles: Carvajal y Mesa, no habían ascendido a generales, a pesar de las intenciones de su jefe.

Faltaba la definición del ascenso del mayor John Quintero y en ese momento el presidente dijo: "Ese señor asciende sobre mi cadáver". Sin embargo, 22 días después de esa aseveración tan contundente, el mayor Quintero fue ascendido a teniente coronel, por encima de la supuesta voluntad del presidente.

Luego hice todo mi esfuerzo para que el presidente comprendiera el contexto de los negocios del general Palomino con el coronel Jerson Jair Castellanos, cuando el segundo acababa de salir de la Policía en pleno escándalo de la "Comunidad del Anillo" en 2006.

Castellanos había pedido el retiro de la Policía porque todos los testimonios de las víctimas lo señalaban de ser supuestamente la cabeza de la red de prostitución. El presidente no profundizó en el tema, pero quería más información sobre los otros generales ricos de la Policía y yo le conté porque esa también había sido una denuncia nuestra en la que se confirmaba lo que parecía haberse convertido en regla: Algunos generales de la Policía son adinerados. Obviamente, encontramos excepciones.

El caso del capitán Lasso, también entró en la conversación. El presidente solo escuchó, no opinó. Sobre la compra de tres cabezotes de tractomula y el negocio que montó el general Palomino cuando era el comandante de tránsito de la Policía Nacional, a Santos se le notó la molestia. Era clarísima la falta de ética del alto oficial y la incompatibilidad por su cargo, como mínimo, una grave indelicadeza del general. Sin duda, se había aprovechado de su posición y había obtenido beneficios económicos.

Uno de los temas más delicados era el de los anónimos que me llegaron y que probaban los seguimientos y chuzadas a los periodistas. Traté de ser lo más precisa posible cuando le relaté cómo me los enviaron. Le confesé que estaba muy temerosa por la seguridad de mis compañeros, por Claudia Morales y mi familia.

Le expliqué que los anónimos contenían la bitácora de mis conversaciones telefónicas privadas y de chat, desde el 2014, al igual que mis encuentros confidenciales con fuentes de información. Alguien sabía todos mis movimientos de mi vida personal y profesional.

Presidente —le aseguré— querían involucrarme en enriquecimiento ilícito. Ahí, en ese material, dicen que yo despedí a un empleado por ladrón y ellos en la Policía ordenaban captarlo como fuente humana contra mí y rastrear mis cuentas bancarias para vincularme delictivamente en algún tipo de proceso penal.

"¿Y usted si tuvo algún problema con ese empleado?", me preguntó y le conté la historia. Sin detalles él me dijo que en algún momento le había pasado lo mismo.

Estaba muy agradecida con el presidente. Era muy importante para nosotros que él estuviera bien enterado y que conociera nuestra versión del escándalo. ¿Quién sabe cuántas cosas alcanzaron a decirle para mal informarlo?

Miré el reloj y vi la hora. Llevábamos casi dos horas reunidos, desde las 4 de la tarde.

—Presidente no quiero molestarlo más, quisiera que usted viera los correos que me enviaron. Están en cadena de custodia en la Fiscalía, pero sé que a usted se los puedo confiar.

"Esto que le voy a pedir —me dijo el presidente— es entre usted y yo. Hágase un cuestionario sobre lo que usted le preguntaría al capitán Carvajal, (el oficial, hijo del coronel Ciro Carvajal, a quien señalaban los anónimos de ser el operador de la estrategia de chuzadas y seguimientos contra los periodistas que estábamos denunciando lo que estaba pasando en la policía)". Le respondí que sin problema yo hacía ese cuestionario.

¿Y presidente cómo le hago llegar todo, el cuestionario y los anónimos? Solo me respondió: "Mi secretario privado la llama mañana". Santos se mandó la mano al corazón y mientras se daba golpecitos en el pecho, me confesó: "Tengo un mal pálpito sobre Palomino".

Antes de irme me preguntó que si un coronel Vargas me había dado información; le respondí que no había un coronel Vargas entre quienes me habían hecho llegar documentos sobre la corrupción en la Policía. Luego supe que me hablaba del coronel Jorge Octavio Vargas Méndez, su historia la denunció días después Daniel Coronell en Semana. Al presidente ya le habían llevado cuentos de nuestras supuestas fuentes.

Cuando salí de la Casa de Nariño, me sentí más liviana, más tranquila. Tener la posibilidad de contarle todo al Presidente de la República era importante, toda vez que de por medio estaba la seguridad de los periodistas a mi cargo y la seguridad de mi familia.

Salí corriendo. Tenía que llegar pronto a la casa. Juan Pablo Barrientos y Jairo Lozano, mis compañeros de trabajo, me esperaban para terminar de afinar el informe del día siguiente sobre

"Generales y Ricos" en la Policía. La opinión pública llevaba tres días alborotada con las revelaciones de Daniel Coronell en su columna: "Los Caballeros de la Noche" y del equipo periodístico de La FM.

Al día siguiente, desde muy temprano, tuve listo el paquete confidencial para el presidente Santos con los correos y el cuestionario guía para el capitán Carvajal, pero él nunca mandó recoger el material.

Horas después el presidente sorprendió al país al nombrar una cuestionada comisión de civiles que investigaría la mala hora de la Policía. Con el anuncio insistió en que su gobierno no chuzaba. ¡Quedamos con la boca abierta!

La comisión estaba integrada por los exministros de defensa Juan Carlos Esguerra y Luis Fernando Ramírez y por el hermano del ministro de Hacienda, Jorge Hernán Cárdenas, quien hasta el 2014 tuvo contratos con la institución. El último, de por lo menos mil millones de pesos y cuyos informes finales fueron presentados ante el general Palomino, según reconoció Cárdenas en una entrevista ante la mesa de trabajo de La FM de RCN, el 11 de diciembre de 2015. El mismo general, como director de la Policía, habría tenido que dar su visto bueno para que le otorgaran a Jorge Hernán Cárdenas el millonario contrato, "tuvo que haberlo tenido, así es, fue un contrato de prestación de servicios directo... Desde luego podía haber una incompatibilidad... se la expuse al presidente, pero por el otro lado hay un conocimiento de la institución en su conjunto eso es importante". En síntesis, un contratista de más de mil millones de pesos, iba a investigar a quien en últimas le había dado el jugoso contrato. ¡Increíble!

Todo se veía absurdo. Cárdenas, nos aseguró que él le advirtió al presidente sobre su situación. Le dijo que había sido contratista de Palomino. Sin embargo, fue claro en que Santos le restó importancia al hecho y lo respaldó diciéndole que eso lo que probaba era que él conocía a la Policía.

Las redes sociales se reventaron con las críticas: ¿Qué podría hacer una comisión de civiles, sin facultades sancionatorias, ni poderes investigativos? ¿El Gobierno solo quería calmar a la opinión pública? ¿Con el general Palomino en la dirección, realmente esa comisión podría tener testimonios valiosos sobre lo que sucedía en la Policía, sin que fueran víctimas de retaliaciones? ¿Un contratista y hermano del ministro de Hacienda podría ser independiente a la hora de investigar al funcionario, en cuya administración le dieron contratos?

En todo caso, para desgracia del Gobierno y del controvertido general Rodolfo Palomino, el nombramiento de esa comisión solo sirvió de combustible para aumentar el escándalo. La comisión dejaba al director de la Policía en el peor de los escenarios: Palomino había perdido el manejo de la institución y era incapaz de controlar lo que estaba pasando, máxime cuando su nombre estaba en entredicho. Cuando estaban a punto de cumplirse los 90 días de plazo para que el país conociera el informe de la comisión, el Gobierno dijo que apenas estaba sacando el decreto que la facultaba y que el tiempo empezaba a correr desde entonces. ¡Una verdadera burla! Cuando este libro sea publicado seguro se conocerá el trabajo que hicieron lo elegidos por el presidente.

La semana siguiente fue más intensa. Dos hechos más elevaron la temperatura de la molestia del Gobierno. El lunes 14 de diciembre, concedí una entrevista a CNN en español en la que hablé de las chuzadas y los seguimientos contra periodistas por investigar graves casos de corrupción en la Policía donde estaba salpicado su propio director y el martes el diario El Espectador publicó mi columna titulada: "El ejemplar Palomino".

El miércoles como a las dos y media de la tarde llegué a un restaurante del norte de Bogotá. Mi colega, el periodista Julio Sánchez Cristo, me había invitado. Desde que entré tuve la sensación de que el ambiente estaba pesado. Había gente muy importante del Gobierno, de las Fuerzas Armadas, del mundo empresarial y de los medios de comunicación.

Al primero que me encontré fue al ministro de Defensa, Luis Carlos Villegas. En el saludo se le notó el desagrado por mi presencia. Creo que tampoco pude evitar que quienes estaban alrededor supieran lo que yo estaba pensando del ministro. Para ser hipócrita, soy muy mala.

Enrique Santos, el hermano mayor del presidente, se me acercó y me felicitó por la columna del El Espectador sobre el caso Palomino. "Yo le estoy diciendo a Juan Manuel que salga de ese general hace un año. La Policía está destrozada. Todos los de abajo viendo lo que hacen sus comandantes. ¿No sé qué pasa?". Enrique está por encima del bien y del mal, por eso no se cohibió de decir lo que dijo frente a varios de los asistentes al almuerzo. Por eso no me pareció rara su franqueza.

Entre los invitados estaba el doctor Luis Carlos Sarmiento, me alegró verlo. Me le acerqué y me quedé allí por unos minutos. La charla estaba muy agradable. De pronto, vi que él puso su atención en la entrada, volteé y me encontré con los ojos del presidente Juan Manuel Santos. No me saludó. De una vez descargó su furia contra mí: "Mi Gobierno no chuza, yo no soy un chuzador". Me sorprendió verlo así, de inmediato le respondí: Yo no he dicho que usted es un chuzador, dije que en su Gobierno alguien está chuzando, que es diferente.

Delante quienes estaban a nuestro lado, me señaló con su dedo índice y me dijo: "Usted es una injusta", se volteó y siguió saludando a los demás. Estaba energúmeno y sabía que estaba en su cancha. Lo miré mientras se alejaba y solo exclamé: "Injusto es que me chucen".

Cuando me di cuenta, tenía las piernas destempladas y el corazón a mil. Imagino que en especial para el doctor Sarmiento, el momento fue bochornoso. Le dije que me iba y me detuvo con una voz muy suave y disimulando: "No señora, usted no se va y se calma". Pasaron unos minutos y la espuma fue bajando. Alguien llegó y se llevó conversando al doctor Sarmiento, así que empecé a hablar con Martín Santos, hijo del presidente y quien estaba a solo dos pasos. "Martín, ¿Vio a su papá? Está furioso conmigo". Muy rápido le conté lo que acababa de suceder y solo me dijo que no parara bolas. Estábamos en esas cuando nos llamaron a la mesa. Martín me aseguró que al presidente le había dolido mi entrevista con CNN, que eso se devolvía contra él. Yo hasta entonces había pensado que el presidente Santos estaba de nuestro lado, del lado de los periodistas chuzados, amenazados y seguidos, pero estaba equivocada.

Nos sentamos. Algún colega me dijo: "Yo estoy con el general mi querida Vicky". Sonreí desconcertada, pero amable. El compañero de mesa continuó, "a uno no lo pueden botar por marica. Tú eres una homofóbica. Yo tengo gente cercana que hasta vive en pareja". Yo seguía contenida, pero le respondí: ¡Cómo se te ocurre! Yo no soy homofóbica. Lo que pasa es que las denuncias contra el general son muy graves y empecé a mencionarle una por una.

De la grabación me dijo, "sí es grave, pero, mmmm...". Entonces, hablamos del patrimonio del general Palomino. "Pues sí, su patrimonio no cuadra, pero tampoco es mucho, otros han robado bastante". La conversación sobre el director de la Policía terminó cuando en voz baja le dije: uno es correcto o incorrecto, pero uno no puede ser medio correcto. Él sonrió un poco y Julio Sánchez Cristo interpeló: "Vicky ¿Y a qué conclusiones ha llegado la Fiscalía?".

Le respondí que la denuncia por los seguimientos la habíamos hecho hacía apenas unos 10 días y que la justica era muy lenta: Tú sabes cómo son esas cosas Julito. Roberto Pombo, director de El Tiempo, solo miraba y escuchaba, al igual que Martín Santos.

En medio de eso, el presidente Santos lanzó otra puya: "Injusta", insistió. Como yo estaba al otro lado de la mesa, solo le hice señas con el dedo índice de mi mano derecha diciéndole que no, que yo no era injusta.

Él, que sabía que ese terreno era suyo, estaba con sus amigos de toda la vida, se lució y puso tono burlón: "¡Aaaayyyy!, verdad que usted no puede hablar porque está chuzada". Me puse seria y le dije: Presidente eso no es un chiste.

Gina Parody, su ministra de Educación, que estaba al lado de su jefe, me miró con angustia. El ambiente estaba muy tenso y la verdad empecé a sentirme incómoda. No quiero hacerme la víctima, pero era como si el mundo se me hubiera venido encima por hacer mi trabajo, mi pecado fue investigar y denunciar casos de corrupción en la Policía.

Le dije entonces a Martín Santos, en voz muy baja, me voy Martín, se me van a salir las lágrimas. Él me dijo, "parpadea rápido y verás que se te pasa". Lo intenté, pero fue inútil. Ellas insistían en salir a borbotones, aunque las estaba atajando. Ese día sentí que el poder aplasta al que sea. Me levanté y le dije al hijo del presidente que iba al baño.

En efecto lo hice. Abrí la puerta del servicio de mujeres y antes de cerrarla, el llanto me estalló como un volcán. Por fortuna no había nadie más allí. Tenía que calmarme para salir. Me eché agua por cantidades en la cara y caminé rápido hacia la salida. Llevaba la nariz roja y los ojos hinchados. En el camino me topé con dos meseros que cargaban unas bandejas grandísimas. Tuve que parar. Me miraron sorprendidos, los saludé y seguí.

Ya en la calle, empecé a buscar el carro, el conductor no estaba. La cuadra se veía acordonada por la seguridad del presidente. Por fin, ya de camino a mi casa llamé a quien era hasta ese momento mi ángel de la guarda. Me escuchó, me desahogué. Volví a sentir que no estaba sola. Me dolía lo que había sucedido con el presidente Santos y trataba de entender por qué él había reaccionado de esa manera. Me sentí humillada por el poder presidencial. Al llegar a la casa, encontré consuelo en mi esposo y mis hijos. El almuerzo de Dari, estaba mejor que nunca.

El jueves, mientras estábamos al aire en el noticiero de La FM, Lorena Arboleda, la reportera que cubre Casa de Nariño, me reportó que en entrevista con Julio Sánchez en La W, el presidente Santos acababa de decir que no había pruebas de las chuzadas y seguimientos contra los periodistas y que no había motivos para salir del general Rodolfo Palomino como director de la Policía. ¡No puede ser!, le dije. Yo quiero escuchar la entrevista. Lore, hágame por favor un informe de eso al aire. En efecto, cuando replicábamos las palabras del presidente, todo se nos volvió más confuso.

Era claro, según la entrevista de la W, que el presidente iba por un lado y las investigaciones por otro.

La entrevista de Santos con Julio Sánchez[4]

La W: "En este momento la Policía está en crisis y yo creo que usted lo sabe y hay una división. Hay una línea Naranjista que es la del general Naranjo, el general Palomino y Vargas, y se dice que hay otra, que es antinaranjista, que es la que lideraría su secretario de seguridad, el general Ramírez. ¿Qué va a hacer usted para darle oxígeno a la Policía y a este entuerto que está al interior de la institución y se están matando los unos a los otros y dicen incluso que las denuncias que han salido a los medios de comunicación son por cuenta de este enfrentamiento?".

Juan Manuel Santos: *"Usted mencionó dos veces 'se dice'. ¿Usted cree que yo voy a actuar por rumores? No tengo ninguna prueba contra el general Palomino y mientras no tenga pruebas, se queda. Las divisiones internas existen en cualquier institución. No creo que mi secretario de seguridad esté haciendo nada que tenga repercusión institucional, porque de lo contrario no estaría de secretario de seguridad, habría salido hace mucho tiempo. Si yo tengo algún indicio de que eso está sucediendo tenga la seguridad de que yo actúo de forma inmediata, no voy a permitir divisiones dentro de la Policía en el sentido que usted está diciendo... Por ejemplo se dice que los anónimos vienen de un sector o de otro. Denme las pruebas, si yo tengo esas pruebas y las estoy buscando, pues actúo inmediatamente. Pero mientras no tenga las pruebas yo no puedo actuar por 'el se dice' que tal cosa"*.

La W: "Hablemos de las denuncias y lo que ha dicho la Fiscalía específicamente sobre los seguimientos e interceptaciones a periodistas. Incluso la protagonista de este caso, la periodista

---

4. 17 de diciembre de 2015, entrevista de la mesa de trabajo de La W al presidente Juan Manuel Santos, dirige Julio Sánchez Cristo (programa de radio de la mañana).

Vicky Dávila, escribió y dijo presidente en su Gobierno sí están chuzando".

JMS: *"Ayer me encontré con Vicky Dávila y le dije y usted por qué dice eso. Dice 'porque me están chuzando'. Le dije deme las pruebas. Yo estuve con Vicky Dávila dos horas, le dije quiero las pruebas porque yo he actuado. Cuando tuve las pruebas hace siete años y tuve las pruebas ahí salieron 13 generales y no me tembló la mano. Cuando yo tenga las pruebas yo actúo. Camila (Zuluaga) yo no puedo actuar por el 'se dice', yo no puedo actuar porque esto está aparentemente sucediendo. Sería una irresponsabilidad de parte mía sacrificar a una persona con semejante carrera en la Policía por un 'se dice'. Si me traen las pruebas —y las estoy buscando— tenga la seguridad de que voy a actuar como actué en su momento. Acuérdese con el general Chávez cuando descubrimos que efectivamente, porque tuve las pruebas, estaban chuzando a Claudia Gurisatti con Carlos Gaviria y con esas pruebas actué. Pero en este momento las estoy buscando, la Fiscalía las está buscando. Con la Fiscalía se está trabajando para llegar al fondo de este asunto, pero mientras no se llegue al fondo del asunto cómo se le ocurre que yo voy a actuar".*

La W: "Pero presidente en el caso de Vicky ella tiene un informante que se identifica como un policía que está arrepentido, que le cuenta cosas que pasan en su vida privada y en su vida profesional. Se le anticipa a unos hechos y ella entra en pánico con toda la razón y hemos sido solidarios con ella. Pero fue más allá, porque identificó unos carros y según los datos que ella tiene esos carros resultan estar relacionados o ser de la Policía, eso no lo tengo muy claro, inclusive hay un Audi. ¿Sobre ese tema que ya tiene una prueba, que son esos carros, a usted qué le han dicho?".

JMS: *"Que los carros estaban en otro sitio, que nunca estuvieron en donde el tal informante dice que estuvieron. Ese carro, que es un carro que donó la embajada alemana, estaba en otro sitio cuando el informante dice que estaba en el Quindío o Pereira, allá no estaba el carro. Pero otra cosa. A quién se le puede ocurrir que un seguimiento* *se haga en un carro de esos. Los seguimientos, y yo conozco algo de inteligencia, se hacen en los taxis, en una cosa camuflada, pero un carro tan vistoso siguiendo a una periodista, eso tiene algo de raro. Ahora, repito, yo quiero que se llegue al fondo de este asunto. Si alguien está chuzando a algún periodista, se va para la cárcel, yo soy el más interesado en eso, porque yo repito, en este gobierno esa política de chuzar está absoluta y totalmente prohibida. Usted le preguntaba al ministro de Defensa esta mañana sobre la nueva agencia de inteligencia de la Presidencia, en esa agencia tenemos unos protocolos muy estrictos que se revisan todos los años. El inspector que es una persona experta en esto, graduada de la universidad de Stanford, me reporta a mí personalmente y se están cumpliendo todos los protocolos de control de la inteligencia porque eso es lo que le da legitimidad al Estado, lo que le da legitimidad a una Inteligencia. Entonces tenga la seguridad de que yo soy el más interesado en llegar al fondo de este asunto, pero yo no puedo sacrificar a unos altos oficiales por rumores, eso sería tremendamente injusto".*

La W: "Los seguimientos y las denuncias de interceptaciones son las consecuencias de unas denuncias que se venían haciendo en los medios de comunicación de lo que estaría pasando dentro de la Policía. Incluso se habla de violaciones, de la "Comunidad del Anillo", de enriquecimientos más allá de lo debido de los generales y de los coroneles. Usted fue ministro de Defensa ¿No sabía o nunca se dio cuenta de estas irregularidades que se están denunciando hoy y que muchos de los denunciantes dicen que es algo de vieja data?".

JMS: *"De ese círculo que usted menciona yo no tenía ni idea. Le pregunté al general Naranjo si conocía y me dijo que ni idea. Eso surgió y el ministro le mencionó a usted una cosa muy importante que se está revisando y la comisión que yo acabo de crear con dos exministros de gran prestigio y con una persona que ha estudiado por dentro la Policía, el doctor Jorge Hernán Cárdenas, más el exministro Juan Carlos Esguerra, más el exministro Ramírez, no es para investigar las chuzadas de Vicky, es para estudiar qué está pasando* *en la Policía, entre otras cosas, por lo que el ministro le mencionó a usted Camila. De algún tiempo para acá los fallos de la justicia, del Consejo de Estado y de la propia Procuraduría, que es hoy la encargada de la disciplina interna de la Policía, pues ha venido relajando la disciplina. Entonces ya un general no puede coger a un coronel o a un capitán y botarlo porque está incumpliendo las órdenes, porque está siendo indisciplinado porque inmediatamente lo restituyen y a la Policía usted no se imagina la cantidad de plata que le han costado esas restituciones. Entonces la disciplina se ha venido relajando porque el esquema de la justicia colombiana infortunadamente ha sido la responsable de ese fenómeno. Lo que esta comisión, entre otras cosas, va a estudiar es precisamente eso, qué está pasando con la Policía, por qué hay unos policías que por reclamar unos derechos laborales entonces salen a los medios de comunicación encapuchados. Eso es una cosa insólita en una Policía y qué es lo que está pasando, es lo que está estudiando esta comisión, no qué pasó con este caso particular porque eso primero que todo ahí si tienen razón los que dicen esta comisión no tiene facultades de policía judicial para investigar".*

La W: "Esa grabación en la que los coroneles Ciro Carvajal y Flavio Mesa tratan de persuadir al coronel Reinaldo Gómez de que retiren unas denuncias contra el general Palomino, que era algo que solo podía beneficiar al general Palomino y a nadie más, pues sí dejan un muy mal sabor de cuál era la implicación que tenía el general en este tipo de persuasiones o de gestiones, así como todo lo que ha salido respecto al capital de Palomino. Si bien uno entiende la capacidad de ahorro y todas estas cosas, que él, pueda adquirir unos terrenos por muy menor precio que en el mismo sitio han adquirido otras personas, pues sí genera muchas preguntas. ¿Por qué mantenerlo a pesar del daño que pueda hacer que él siga estando en la cabeza de la institución?".

JMS: *"Como Presidente de la República yo, vuelvo y le repito, no voy a sacrificar a ningún funcionario, militar, policial o funcionarios simplemente porque la galería está pidiendo su cabeza. Eso me pa-*

rece irresponsable. Cuando yo tenga las pruebas, cuando yo tenga los argumentos sólidos para retirar a cualquier funcionario lo hago. Pero mientras tanto creo que sería una irresponsabilidad de parte mía".

LA W: "La grabación de los coroneles Ciro y Flavio Mesa no lo deja a usted intranquilo...".

JMS: *"No es suficiente, puede que me deje intranquilo, pero no es suficiente".*

Al escuchar al presidente me indigné. ¿No hay pruebas de las chuzadas a los periodistas? ¿Y entonces el contenido de los correos con la bitácora de mis conversaciones telefónicas y mis chats y mis encuentros confidenciales con fuentes desde 2014, no eran una prueba? ¿Todo lo que decían los anónimos sobre mis compañeros y sobre la periodista Claudia Morales, no era prueba? ¡Por Dios!

El presidente tomó partido, nos dejó solos siendo víctimas. En la cabina de La FM los muchachos me miraban desconcertados, habían perdido un poco de aliento. Me sentí responsable por ellos, alguien tenía que sacar la cara por el equipo. No podíamos olvidar que todo el tiempo habíamos hecho lo correcto y que estábamos pagando las consecuencias por decir la verdad.

Me llené de orgullo, se me infló el pecho, fruncí el ceño y levanté el mentón. Óscar, ábrame el micrófono por favor. Óscar es el operador central en el noticiero, una persona amorosa y paciente, vital para mí. Sin él, era imposible salir al aire. Me conoció hasta los suspiros, era mi cómplice técnico.

El bombillo rojo que indica que el programa está al aire se encendió y le hablé de corazón al presidente Santos.

"Ya que el presidente lo reveló, sí es cierto, conversé con él cerca de dos horas en la Casa de Nariño el martes 8 de diciembre, tuvimos una conversación en la cual le llevé toda la historia, le dije que podía entregarle a él todos los correos, los 170 anónimos donde están las pruebas. Quedó de mandarlas recoger y nunca mandó por ellas. O

sea que todavía si quiere presidente le puedo mandar los 170 correos que están judicializados y donde queda claramente demostrado que alguien está chuzando y está siguiendo a los periodistas.

Aquí no es un 'se dice', presidente, lo veo mal informado. Creí que había entendido bien la historia, le expliqué durante casi dos horas. Y aquí no es que se dice, que como que los están siguiendo, no. Presidente ahí está la bitácora de lo que yo he hecho, con quiénes he hablado, de cuáles han sido mis conversaciones, y se lo advertí presidente. Incluso, plantean claramente como una estrategia la posibilidad de vincularme con enriquecimiento ilícito a través del rastreo de mis cuentas y dicen que van a captar como fuente humana a un exempleado mío y allí tienen todos los datos.

Así que no se trata de un 'se dice' presidente Santos. Lo he dicho desde el principio, no estamos aquí para tumbar al general Palomino, usted finalmente es el presidente, usted es el jefe de Estado. Yo lo respeto presidente, usted verá qué decisión toma. El problema no es mío, el problema es suyo porque la responsabilidad de mandar a las Fuerzas Armadas y de tener unos buenos generales es suya no mía, porque yo no tomo decisiones, yo soy una simple periodista que cumple con su trabajo.

Me parece respetable que usted considere que no hay pruebas contra el general Rodolfo Palomino, es respetable. Le digo yo a usted lo respeto como Presidente de la República, ni más faltaba que me fuera a poner altanera o atrevida con usted, no, no señor. Tendría que decirle simplemente que si para usted no son suficientes las grabaciones presentadas por La FM, si no son suficientes las denuncias de Daniel Coronell y La FM sobre el patrimonio del general, si no es suficiente que el general Palomino cuando era comandante de tránsito hubiese puesto su propia empresa de transporte aprovechándose claramente de su posición, si no es suficiente que haya hecho negocios con la supuesta cabeza de la "Comunidad del Anillo", señalado por muchos oficiales víctimas y cuyos testimonios están judicializados, si no es suficiente lo que ha expuesto Daniel en varias columnas en la revista Semana sobre la situación del capitán Lasso y del hermano del general Palo-

mino, el coronel Palomino y cómo los favoreció después de participar en un bochornoso episodio de 'usted no sabe quién soy yo', si para usted presidente no es suficiente lo que nos ha contado hoy la capitana Rodríguez acá, si no es suficiente nada de eso, perfecto. Es que el que toma las decisiones, le repito, es usted y no yo. Así que usted siga como jefe del general Palomino y yo seguiré como periodista denunciando todas y cada una de las irregularidades que ocurran en la Policía. No importa que usted no tome una decisión, ese no es mi problema, el problema es suyo porque el que tiene que velar, presidente Santos, por tener un buen director de la Policía es usted. El que tiene la responsabilidad de dirigir bien la Policía es usted. Así que esa responsabilidad no pesará sobre mí que soy una simple periodista. Por no decir menos.

Usted tiene el poder, usted es el presidente. Yo soy una simple ciudadana. Pensé que a usted le iban a inquietar esas chuzadas por ser el presidente, por haber sido periodista —curiosamente— por haber sido ministro de Defensa. Pero si no lo inquietan, es respetable señor presidente. Esperemos que la justicia actúe. Usted sabe muy bien que la justicia en Colombia es lenta, tiene problemas y seguramente no vamos a saber qué hay detrás de todo esto. No importa. Aquí la importante no soy yo, no es Daniel Coronell, la importante no es Claudia Morales, los importantes no son los periodistas de La FM que han tenido que pasar por todo esto. Somos simples periodistas.

Pensé que podía confiar en usted y por eso fui a Palacio. Pensé que podía contarle con detalle toda la historia y que usted me iba a escuchar. No pensé que lo fuera a contar públicamente en una entrevista. Yo no lo conté presidente, lo contó usted. Espero que también cuente que ayer en un almuerzo social en donde me lo encontré me regañó públicamente, me dijo que yo era injusta, que en su Gobierno no chuzaban, que usted no era un chuzador y se lució con su poder de presidente. Muy bien, usted es el presidente y tiene el poder. Yo soy una simple periodista, pero le recuerdo que usted dentro de tres años se va y si Dios lo permite yo seguiré siendo periodista y seguiré haciendo mi trabajo que hago todos los días, no para tumbar generales sino para representar un poco a la gente que no tiene quien hable por ella.

Así que no importa que usted hoy haya descalificado las denuncias que hemos hecho como periodistas, al que no quiere oír y al que no quiere ver sencillamente se le deja quieto. Tranquilo presidente que a usted no lo volvemos a buscar para contarle nada de la Policía, pero aquí en estos micrófonos de La FM de RCN seguiremos haciendo nuestras denuncias. Nuestro trabajo no es quedar bien con el presidente. Yo tengo que decir que lo he admirado y lo he apreciado y está bien. Y lo que me siga pareciendo bien del Gobierno voy a seguir diciendo que está bien. Y lo que me parezca mal, como lo he hecho hasta ahora, seguiré diciendo que está mal.

En esta presidente, no se preocupe más por nosotros. Dios nos cuida, RCN nos ha respaldado y nuestro trabajo nos respalda. En La FM no necesitamos el visto bueno de usted presidente".

Hicimos una pausa, todos los muchachos me abrazaron. No contábamos con la Policía, ahora tampoco con el presidente. Pero ellos sí contaban conmigo y yo con ellos, estábamos juntos en ese desierto hostil en el que habíamos caído por hacer bien nuestro trabajo que tenía incómodos a unos poderosos.

Esa mañana salí temprano de la emisora y seguí la maratón, estuve con J. Mario en su programa y me encontré con Claudia Gurisatti en su oficina. Se mostró aparentemente solidaria y me ofreció su apoyo. Se lo agradecí inmensamente, a pesar de lo que meses atrás había ocurrido y que produjo mi inesperada salida de Noticias RCN. Después entendí que su actitud obedecía más a su animadversión contra el Gobierno, que a su aprecio por mí. Antes de salir del canal pasé por la redacción, saludé a todos los reporteros, me sentí en familia y con una gran nostalgia.

Mi teléfono timbró ese día más que siempre, todo el mundo quería saber cómo me sentía con lo que había dicho el presidente.

El viernes 18 de diciembre era mi último día de trabajo en el 2015, me iba de vacaciones, pero no podía quedar en el ambiente que el presidente Santos tenía la razón y que no había pruebas de las chuzadas y seguimientos a periodistas. Durante casi dos horas hicimos el ejercicio de demostrarle a Colombia, con los correos anónimos en la mano, que las pruebas sí existían y que el problema era que ni el general Palomino, ni el presidente Santos querían verlas.

Me fui a descansar. No podía desconectarme, pegada a los periódicos, a los noticieros y a las redes sociales. Todo el mundo estaba hablando de lo mismo.

El sábado amanecí indispuesta, creo que se me bajaron las defensas ante tanta presión. Me dio el "abrazo de Palomino", así pasé varios días. Me atacó una bronquitis violenta. Una noche, con fiebre de 39 grados, me quedé en la cama viendo el noticiero, mientras me hacía efecto el medicamento. Tenía escalofrío y la cabeza me hacía bum, bum..., alguien me avisó que el presidente Santos estaba hablando de las chuzadas a periodistas en Noticias Caracol. Era 21 de diciembre de 2015, sintonicé el canal y recibí otro golpe.

"Pues es que nadie ha podido demostrarme que él es una persona que está chuzando a sus detractores, esa prueba no ha existido. Yo no puedo descabezar al director de una institución como la Policía simplemente por chismes o por rumores o anónimos, eso sería un acto de inmensa irresponsabilidad", le aseguraba el presidente al periodista Juan Roberto Vargas.

El jefe de Estado no solo había tomado partido, ahora nos descalificaba y nos ridiculizaba. También nos ponía en un riesgo mayor. Cualquiera que quisiera hacerle daño a Santos, a su Gobierno o al proceso de paz, podía hacernos daño a nosotros. Estábamos en el peor de los mundos.

Las pruebas de las chuzadas eran contundentes, lo había dicho el Fiscal General, el primer mandatario las descalificó, ahora no estaba con nosotros, estaba en contra nuestra.

Nunca entenderé el cambio del presidente; un país en paz es aquel en donde se respetan las libertades. La paz en Colombia no puede hacerse solo con las Farc. Todos los colombianos tenemos que sentir que llegó esa paz. En el caso de los periodistas, teniendo las garantías para hacer nuestro trabajo y no precisamente siendo víctimas de la persecución del Estado y sus instituciones.

Presidente Santos, jamás esperé de usted lo que nos hizo.

Capítulo III

Destape general

"Lo único que faltaba es que me acusaran de ser marica", dijo el general Rodolfo Palomino, mientras sus piernas se movían abriendo y cerrando, sin que él pudiese controlarlas o tal vez, por la tensión del tema no se percataba de lo que hacía.

Estaba sentado frente a tres periodistas de La FM: Angélica Barrera, Juan Pablo Barrientos y yo. Todos le preguntábamos ávidos de respuestas claras y contundentes. Confieso que en mi caso sentía una especie de pudor ante los hechos que involucraban al oficial en una denuncia de supuesto acoso sexual a uno de sus subalternos. En cerca de 25 años de periodismo un caso de esa magnitud y con tantos matices no me había tocado. Que el director general de la Policía Nacional, una entidad de esa credibilidad y prestigio, estuviera envuelto en un caso de estos me parecía increíble. Además porque eran hechos que permanecieron ocultos 17 años y de pronto explotaban ante nosotros.

La historia era inverosímil, aparentemente imposible de probar después de tanto tiempo. ¿El general Palomino, tan serio y varonil, tan bonachón, metido en el centro de este problema? Era difícil creer en eso, pero había una grabación contundente, la teníamos en nuestras manos. Era un diálogo de policías de un poco más de dos horas que convertía el caso en un hecho muy grave. No grave por las tendencias sexuales que pudiera tener el oficial, eso es de su vida privada y absolutamente respetable. Lo realmente de fondo era el supuesto acoso a un subalterno, que si fuere cierto, era delito y el plan de encubrimiento diseñado al más alto nivel. Todo terminó descubriéndolo la misma grabación.

Angélica Barrera me esperó hasta las 10 de la mañana. Cuando salí de la cabina de radio, en un día normal de trabajo, ella estaba parada en la puerta. Angélica es una reportera muy joven y talentosa, es seria y tiene el olfato innato de los grandes investigadores. Me dijo sin preámbulos que tenía algo de lo que quería hablarme: "¿Te acuerdas de lo del año pasado contra el general Palomino?".

Inmediatamente me ubiqué en el 2014. Angélica había entrevistado a un oficial activo que estaba hospitalizado. El uniformado quería entregar su testimonio en el que aseguraba que había sido víctima de la "Comunidad del Anillo", una tenebrosa red de prostitución homosexual, enquistada durante años en la Policía, de la que mucha gente hablaba, pero nadie se atrevía a enfrentar. La organización tiene o tenía unos tentáculos que llegaban a varios estamentos del Estado. La reportera logró el dramático testimonio del hoy capitán Ányelo Palacios, mientras se recuperaba de una enfermedad que, según nos dijo, mató a su hermana y que él también padece.

Su versión parecía sacada de una película de terror. En medio de su relato supimos de la existencia del coronel Jerson Jair Castellanos.

"El coronel —aseguró el capitán Ányelo Palacios— nos llevaba como abanderados, primero al Congreso de la República y nos colocaba con unas banderas alrededor de donde estaban los senadores. Yo notaba que él agarraba y nos miraba y se reía y otros señores que estaban abajo también, pero yo no sabía por qué se reían. Después él me dijo que fuéramos a jugar bolos al Club Militar. Le respondí vamos mi coronel. Me dijo: yo le voy a ayudar a usted para que cuando se gradúe vaya a un buen puesto. Le dije bueno mi coronel, gracias. Me subió a la camioneta que él tenía y me llevó al club. Allá me pidió que lo acompañara a sacar plata y me dijo, pero tómese una botellita de agua y la compró. Yo me tomé esa agua y me empecé a sentir mareado y él me subió al segundo piso donde estaban los cuartos. Me metió en uno y ahí había otra persona, no me acuerdo quién era, pero había otra persona. Al otro día me dolía mucho la cola y empecé a poposear sangre, bastante sangre. Yo no sabía qué era lo que había pasado.

Después me encontré al coronel y le pregunté: ¿Usted qué me hizo, por qué estoy así? Me respondió: "La pasamos rico, nos hicimos rico". Y desde ese día me empezó a buscar y me buscaba y me buscaba. Me decía: le voy a presentar a un general para que lo ayude.

El alto oficial, que según Ányelo Palacios le iba a presentar el coronel Jerson Jair Castellanos, era el general Rodolfo Palomino. "Sí, él me dijo que era Palomino al que me iba a presentar para que me ayudara, pero que tenía que portarme bien. Le dije no, yo no quiero portarme bien con nadie, yo quiero es que me deje en paz, ya no me busque más. Ante eso me dijo que me iba a presentar a varios amigos. "Le voy a presentar al senador Ferro y a otros senadores para que usted tenga unas barras duras y como ellos son los que toman las decisiones en la Policía, para que le ayuden a usted".

Al escuchar el impactante relato del oficial, le dije a Angélica que eran tan graves y delicadas las acusaciones de Palacios, que debíamos investigar a fondo y teníamos que encontrar más indicios, más pruebas, máxime cuando estaba en entredicho el general Rodolfo Palomino. Además era un solo testimonio, era una sola versión, sin más respaldo. Le recordé una definición muy norteamericana de noticia: noticia es lo que se puede probar.

Pasaron meses y la historia seguía rondando por ahí, nos daba vueltas y vueltas. Los periodistas siempre tenemos temas pendientes que van y vienen. Unos días se iluminan por algún lado con un nuevo detalle y otros días se apagan por la falta de precisión de un hecho o un testimonio. En este caso, al cabo de un tiempo considerable lográbamos darle a la denuncia un contexto sólido. Surgió una prueba que resultó incontrovertible, aceptada por todos los implicados como cierta.

Esa mañana de octubre de 2015, ante la pregunta de Angélica sobre si me acordaba de la entrevista con el capitán Ányelo en 2014 y cuando recordé todo, le respondí que claro, que por los hechos y los personajes involucrados era imposible olvidarla. "Pues mira, hay un coronel que tiene una denuncia muy grave" y enseguida me entregó una carta en la que el oficial acusaba al director de la Policía de acoso sexual.

Reaccioné incrédula. Una vez más era una denuncia que parecía solitaria, aparentemente una versión sin más apoyo que el testimonio de la supuesta víctima. El periodista debe desconfiar de todo. Todo debe ser verificado.

Le pregunté a la reportera que si el coronel tenía pruebas del acoso sexual. Su respuesta nos dejaba realmente sin nada en las manos. Me dijo que no. Todos los días a las salas de redacción llegan todo tipo de denuncias, algunas de ellas muy graves y hay que tratar de seguirlas con un juicioso y detallado trabajo de reportería.

"Angélica, es la palabra de este señor contra el general Palomino en un asunto muy grave. ¡Ahí no hay nada, si no tenemos más!".

"Vicky es que hay algo más", me dijo Angélica algo tímida. "Ah sí, ¿qué?".

"Hay una grabación. Es que mira, este coronel le mandó esta carta al general Palomino a su despacho en la que lo acusa del acoso sexual. El general Palomino no le respondió, ni lo denunció, sino que mandó a los oficiales más cercanos a él, para que se reunieran con su denunciante. En esa reunión, con amenazas, pretendían que el coronel retirara sus acusaciones contra el director de la Policía. Algunos de estos oficiales son investigadores de segunda instancia en la Policía, es decir, tenían la obligación de investigar y no de encubrir. Esa reunión fue grabada de forma secreta por el coronel Gómez".

Quedé de una sola pieza y al escuchar la grabación mi sorpresa fue total. Los audios eran aterradores y delictivos. Si el denunciante accedía a retractarse, ante las amenazas que le hacían, el único beneficiado era el director de la Policía.

La grabación era tan clara, que no podíamos perder tiempo y debíamos meternos de cabeza en el tema. Había que buscar al principal implicado.

Llamé de inmediato a Slobodan Wilches, director periodístico de La FM, "Lobo", así le decimos de cariño y le dije: Por favor llame urgente al general Palomino, dígale que tengo que hablar con él algo muy delicado, que si puede venir hoy mismo. Hasta ese momento no sabíamos nada del coronel Reynaldo Gómez.

Me despedí de Angélica y le dije: Usted sabe que yo jamás dejo de publicar algo, aunque quien se vea involucrado sea muy poderoso, pero también sabe que una de las reglas de oro es que todo debe estar bien sustentado. Hagámosle.

Esa tarde el general Palomino tenía reunión con el presidente Santos en la Casa de Nariño, al otro día salía de viaje para San Andrés, también en misión oficial. Decidí esperarlo por lo grave del asunto y porque era mi deber tener su versión de los hechos, era un caso donde claramente se mezclaban lo público y lo privado y la opinión tenía que tener la información completa. Me parecía todo tan comprometedor, que era fundamental tener el rompecabezas armado antes de publicar. No teníamos afán.

Al día siguiente nos encontramos con el otro implicado, el coronel Reinaldo Gómez. Cuando llegó a mi oficina de entrada lo miré con desconfianza. Estaba vestido de civil, con una chaqueta gruesa, donde siempre pensé que llevaba una grabadora camuflada.

Angélica, Juan Pablo y yo lo escuchamos atentamente, se veía seguro, mientras relataba su historia, en la que el director de la

Policía era el protagonista de un episodio de acoso sexual y de abuso de poder. Le pedí que nos diera una entrevista. Aceptó. Le preguntamos de todo, lo cuestionamos. Fue franco cuando dijo que no tenía pruebas del acoso sexual del general Palomino, pero se ratificó en sus denuncias. Mal o bien tenía una prueba irrefutable: la grabación.

La entrevista duró 20 minutos, cuando nos despedimos lo quise probar y le dije: "Espero que no nos haya grabado". El respondió: "Cómo se les ocurre".

Luego conversando con los periodistas, me di cuenta de que todos teníamos la sensación de que el coronel Gómez también nos grabó de manera clandestina, pero no le dimos mayor importancia, todo quedó en suposiciones. No era raro que el oficial, que se había metido a la boca del lobo y se había atrevido a grabar a sus superiores, estando de por medio el general Rodolfo Palomino, lo hiciera también con nosotros que lo acabábamos de conocer.

Gómez estaba atemorizado por las amenazas telefónicas contra su vida y el chantaje a su esposa, a quien llamaban constantemente para advertirle de supuestas andanzas de su marido con prostitutas. El acoso fue tal que la mujer se enfermó. El coronel estaba convencido de que sería destituido injustamente por haber hablado sin permiso en una emisora, entonces decidió jugarse la última carta para demostrar que el manejo que le daban a su caso en la Inspección de la Policía no era el adecuado. Así que se destapó y decidió escribirle al general Palomino, pidiéndole imparcialidad en su proceso y señalándolo de acoso sexual.

Tras la explosiva carta, el coronel Flavio Mesa, comandante de la Policía Cundinamarca, lo citó a la oficina del secretario general, el coronel Ciro Carvajal. Gómez cumplió, esa tarde del 8 de mayo de 2015, se presentó a la reunión, armado con una grabadora que escondió entre su ropa. Toda la reunión quedó registrada y sus protagonistas fueron descubiertos, al igual que sus planes para que el uniformado cambiara su denuncia contra el director de la Policía. Los audios se convirtieron en prueba judicial en la Fiscalía y la Procuraduría.

El general Palomino fue a RCN Radio dos días después de nuestra llamada. Esa noche, como a las 8, llegó presuroso y amable como siempre. Nos instalamos en mi oficina. Él estaba con una expresión de cansancio y mucha preocupación.

Empecé por preguntarle si recordaba al coronel Reinaldo Gómez. Dijo que no. Le entregué copia de la carta que le envió el oficial, la miró, empezó a leer, mientras sonreía irónico y movía la cabeza de lado a lado. Rápidamente soltó el documento. Dijo dos o tres cosas descalificando al oficial, argumentó que era un uniformado problemático y mentiroso. De inmediato le advertimos lo más grave: la existencia de una grabación de la reunión entre Gómez y tres de sus oficiales más cercanos. Se sorprendió. "¿Quiénes aparecen en la grabación?", preguntó descompuesto.

Le respondimos, el coronel Ciro Carvajal, secretario general de la Policía, el coronel Flavio Mesa, comandante en Cundinamarca y el mayor John Quintero, de la misma oficina de Carvajal. Hubo un momento de silencio, se llevó la mano a la barbilla, mientras apoyaba el codo en el escritorio. Se compuso y ante nuestra insistencia del porqué de esa reunión con amenazas y presiones, no tardó en darnos otra gran sorpresa. Nos reconoció sin sonrojarse que él había pedido a sus hombres que se reunieran con el denunciante.

¿General cómo así, por qué dio esa orden? ¿Cómo se iban a reunir los investigadores con el investigado para pedirle, o mejor exigirle, que retirara su denuncia? Desconcertado ante nuestras preguntas, el general se levantó de la silla y empezó a caminar alrededor de un metro cuadrado. Nosotros lo mirábamos atentos. "Les dije: vayan y se reúnen con ese tipo, para ver qué es lo que quiere. Lo hice como padre de la institución. Yo quería saber si necesitaba algo, quería saber por qué mentía", fue su respuesta.

Angélica casi no lo deja terminar cuando le lanzó otro de los interrogantes: Pero si era mentira ¿Por qué no denunció a Gómez penalmente, general? El oficial estaba molesto. Sabía que no lograba convencernos. "Eso traté de hacer, pero una fiscal me dijo que no lo denunciara porque cualquier periodista cogía esa carta mentirosa y se volvía un escándalo".

Yo miraba a Juan Pablo con angustia por lo que estaba ocurriendo. Me dirigí al director de la Policía: "General, quiero que sepa que a mí no me importa si usted es homosexual o no, esa es su vida privada. En serio me siento mal con todo esto. Lo que pasa es que la grabación es muy delicada y los oficiales que intimidan y amenazan a ese coronel hacen parte de la segunda instancia. Son los que al final tenían que definir si Gómez debía irse o no de la institución". Y le pregunté: "¿Será que esto pasa con todos los procesos?".

"No, ¡cómo se le ocurre!", me respondió. Juan Pablo lo interrumpió de nuevo y le pasó los fragmentos impresos de la grabación. Con las hojas de la transcripción en las manos, empezó a hablar entre los dientes. Nos miró a los tres y nos dijo que esos oficiales tenían carreras "brillantes".

Seguíamos sin entender. "¿No le parece todo muy delicado general?", le insistí, pero él guardó silencio. Entonces decidí llevarlo a la sala de edición, allí teníamos los audios listos y completos de la grabación. Él aceptó. Subimos en el ascensor, el ambiente era incómodo. Nadie habló mientras llegamos al séptimo piso. Yo tenía las mejillas coloradas y calientes de la tensión. Era raro vernos ahí, en esas circunstancias con el general Palomino, a quien siempre había admirado como policía.

Al llegar a la sala, le pasamos unos audífonos, antes hizo una llamada por su Avantel e inexplicablemente lo dejó en altavoz para que todos escucháramos: "Ciro, ¿se acuerda del caso del coronel Reinaldo Gómez?": —Sí mi general—, respondió el coronel Ciro Carvajal muy contundente. "¿Qué pasó con eso?", lo increpó Palomino con algo de rabia. "Eso murió mi general", aseguró convencido el oficial al otro lado de la línea. "Pues, le cuento que no murió", dijo el director de la Policía con tono de molestia, no dejó hablar más a su interlocutor y colgó, el teléfono sonó "clack". Nosotros quedamos impávidos.

Ya eran las 10 de la noche y el general con los audífonos puestos escuchaba la grabación en la que era claro que sus oficiales buscaban obligar al coronel Reinaldo Gómez a cambiar su denuncia contra la máxima autoridad de la institución, o sea, contra él.

Ahí estábamos todos atentos a la grabación que por instantes se escuchaba en la sala, retumbaban frases como:

"Nosotros estamos hablando jurídicamente, las cosas se deshacen como se hacen", "ahora hay que mirar cómo deshacer esa guevonada", "obviamente un documento de esa naturaleza no puede quedar ahí...", "yo no me puedo retractar de lo que es cierto", "usted tiene responsabilidad con su familia con su esposa con sus hijos...", "nosotros le estamos diciendo qué debe hacer. Estamos metidos nosotros en un verraco lío por usted".

Paramos la grabación varias veces y comentamos con el general este tipo de amenazas y presiones. Dijimos de todo: "¡Esto es muy hijueputa!". "¡Qué brutos esos tipos!". "¡Bestias!". El general estaba muy molesto con su gente, no tanto por lo que hicieron, sino porque no hicieron bien la tarea.

Quedaron al descubierto gracias a la grabación y además no lograron 'matar' la denuncia, antes por el contrario, le dieron toda la credibilidad. Estaba más viva que nunca y agravaba la situación de los altos oficiales y principalmente del director de la Policía.

Yo seguía pensando en las dificultades que traería para el general Palomino la publicación de la denuncia. ¿Cómo iba a explicar a su esposa y a sus hijos los comprometedores señalamientos que le hacían? Eso en realidad me daba vueltas en la cabeza, sabía que el audio que teníamos era comprometedor y conociendo este país de homofóbicos, me inquietaba pensar en lo que venía para este policía con el cuento de que era supuestamente homosexual.

Si era o no era homosexual, no me importaba, esa para mí no era la noticia, pero tenía clarísimo que muchos se preocuparían más por eso, que por la corrupción y las presiones que revelaba la grabación.

Sé que en especial Juan Pablo Barrientos comprendió lo que me atormentaba. Hoy en todo caso, entiendo que hicimos lo correcto.

La pregunta clave era ¿Si las denuncias de acoso sexual contra el general Palomino a un subalterno eran falsas, por qué los hombres de mayor confianza del oficial presionaban y amenazaban al denunciante? ¿Lo lógico no era buscar que la Fiscalía procesara al coronel Reinaldo Gómez por falsa denuncia?

Por la gravedad del asunto, decidimos entregarle en una memoria USB todo el material al general Palomino para que analizara detalladamente lo que había ocurrido en la reunión de sus oficiales con el denunciante. Quedamos en que hablaríamos al día siguiente. Antes de irse, nos dijo que él era "un buen colombiano y un patriota".

Confieso que hasta ese momento tenía un choque de sentimientos en mi corazón. Los hechos eran claramente delictivos, pero yo creía que él era un señor confiable. Luego los hechos me demostraron que no lo era. El general Palomino se fue esa noche muy preocupado. Nunca nos pidió que no publicáramos; nosotros nunca pensamos en no hacerlo.

Al día siguiente Angélica, Juan Pablo y yo teníamos sentados en nuestra oficina a dos de los protagonistas de la grabación, el director de la Policía les ordenó reunirse con nosotros para que dieran sus explicaciones.

El coronel Ciro Carvajal, secretario general durante los últimos cinco años en la Policía y con 40 años de servicio, estaba tembloroso y tartamudo en cada una de sus respuestas. Aceptó que él era uno de los que hablaba en la grabación. Reconoció que su actuación y la de sus compañeros fueron un error e insistió en que asumiría toda la responsabilidad. Hizo énfasis, una y otra vez, en dejar limpio al general en todo este escándalo, buscó la manera de dejarlo lejos de cualquier sospecha. Pero confesó que el general Palomino les pidió que organizaran la reunión con el coronel denunciante.

La gravedad consiste en que el denunciado —el general Palomino— les ordenó a los investigadores de su denunciante, que de manera por lo menos inconveniente, se reunieran con ese oficial. La reunión de los subalternos del director terminó en amenazas contra quien denunciaba, a quien además presionaron para que retirara las acusaciones contra su jefe.

Juan Pablo aprovechó la confesión que nos hizo el coronel Carvajal y le preguntó si estaba pensando en renunciar ante la gravedad de lo que había pasado. Fue contundente, aseguró que no.

El otro oficial que llegó esa mañana a dar su versión fue el mayor John Quintero, subalterno de Carvajal. Habló poco, se veía pensativo y tímido. También reconoció que su voz estaba en la grabación. El único que no se presentó fue el coronel Flavio Mesa, comandante de Cundinamarca. Días después, tras estallar el escándalo, recibí la llamada de una mujer que se identificó como la esposa del oficial. En medio de lágrimas me aseguró que su marido era inocente de todo, aunque no pudo justificar por qué el coronel aparecía en la grabación. Me dio pena por ella, no era ella quien debía responder.

Como estaban de por medio las elecciones regionales del 25 de octubre de 2015, le dije al general Palomino que no se preocupara, que trabajara tranquilo en el tema de seguridad electoral y que habláramos la semana siguiente.

Así fue, el oficial llegó a mi casa una noche, estábamos en la sala, le conté que íbamos a publicar la historia el martes 27 de octubre de 2015. El semblante le cambió, su rostro amable se alteró. Aunque nunca me lo dijo, tal vez guardaba la esperanza de que no haríamos la denuncia. Pero el general todavía me tenía sorpresas.

"Tengo que decirle algo, Vicky, yo ya hice la denuncia en la Procuraduría". Le respondí: general, me parece muy mal hecho, yo confié en usted y le entregué la grabación antes de hacerla pública. Me explicó que ante hechos tan delicados su obligación era denunciar. Lo que no me pudo explicar fue por qué no actuó igual con la carta del coronel Gómez en la que lo señalaba de acoso sexual.

Cuando Palomino tuvo el audio en sus manos, porque se lo entregamos nosotros, llamó al Procurador Alejandro Ordóñez y le pidió que recibiera al coronel Carvajal. El director de la Policía quería adelantarse al escándalo público y aparecer como víctima y el funcionario íntegro que había denunciado todo.

¿Usted qué va a decir cuando le pregunten de dónde sacó los audios? Lo interrogué con insistencia. "Digo que me llegó por un anónimo". Me pareció increíble que en mi cara mintiera. General —le dije— usted no va a mentir, no es necesario, yo voy a decir la verdad, que nosotros se lo entregamos. ¿Cuál es el problema? Yo voy a contar que ante la gravedad de los hechos, yo le entregué la grabación, así fue como ocurrió. Usted no va a mentir por mí.

El general estaba nervioso, sabía lo que se venía, pero confiaba en que podía controlarlo. Le dije que si podían hablar al aire los oficiales implicados en la grabación. Su respuesta fue NO. "¡Quién sabe con qué salen si se atortolan!". Anotó levantando las cejas, mientras se peinaba el bigote con la mano. Se comprometió esa noche a ponerle la cara a la denuncia, claramente no podía dejar su defensa en manos de sus subalternos y temía que lo enredaran más. Él, experimentado ante la prensa, se tenía confianza.

Lo acompañé hasta la puerta, antes de subir al ascensor me dijo: "No le quede duda, este, su servidor, jamás ha cometido alguna conducta reprochable".

Antes de ir a la cabina de La FM, el día de la publicación de la denuncia, el general Rodolfo Palomino también 'amarró' al ministro de Defensa Luis Carlos Villegas. Se reunió con él y le contó su versión de la historia.

Villegas quedó convencido de que todo correspondía a una pelea de generales para quedarse con la dirección de la Policía. El general adoptó frente a su jefe el papel de víctima y le funcionó. Los colombianos, expertos en telenovelas, lo identificaron con el villano.

Así fue como empezó el escándalo más grande de los últimos años en la Policía Nacional.

Capítulo IV

Ellos están aquí

Estaba metida en la cama en una de esas frías noches de domingo en Bogotá. Eran como las 9 y mis pensamientos giraban en torno a los temas que trataríamos el lunes, como era costumbre debía madrugar a las 4. Antes de dormir revisé mi correo por última vez. Encontré un mensaje de una tal María Eugenia Sáenz. Lo abrí y de inmediato quedé impactada por su gravedad. Tuve que leerlo varias veces para comprender la tormenta que se venía. La serie de correos que me llegó comenzó así:

> *"No estoy seguro que seas confiable, a mi capitán Carvajal se le llena la boca diciendo que a ti te arreglaron con los pecados que te tienen, que cuando mi coronel Carlos Vargas Rodríguez habló contigo, te consintió y fuera de eso te recordó unos pecados y que por eso tú paraste de hablar del tema de mi general Palomino, todos sabemos que mi coronel Vargas es el consentido de Palomino y las razones... En fin, igual yo lo que quiero es tener mi conciencia tranquila y por eso te copio el correo, ustedes verán si me creen y qué hacen...".*

Leí esta primera parte y se me congeló el alma. La advertencia era clara. El mensaje tenía mucha más información que la que mencionaba. Conocí al coronel Carlos Vargas, hace unos 20 años, en mis épocas de reportera, cuando pasaba días enteros en la sede de la Policía buscando noticias.

Vargas hacía parte de los llamados yupis del general Rosso José Serrano y trabajaba en el mejor equipo de inteligencia del momento persiguiendo a los miembros del Cartel de Cali. Esporádicamente conversábamos, nunca perdimos el contacto. Le había tomado aprecio y hablábamos siempre que había una noticia grande. Era como un analista de hechos ocurridos en Colombia.

Tan pronto estalló el escándalo con las primeras denuncias de La FM, el coronel Vargas me llamó. Me dijo que estaba en Bogotá y quería una reunión urgente. Ese día tuve mil citas. Él me esperó hasta las 5 y 30 de la tarde. Nos encontramos en mi casa.

Me despedí de los escoltas para recibir al coronel Vargas, confidencialmente. El oficial me pidió mucha discreción. Ya en confianza le conté sobre todo lo que estábamos investigando contra el general Rodolfo Palomino, sobre la "Comunidad del Anillo" y muy especialmente de los bienes del director de la Policía y sus amigos.

La reunión duró casi dos horas. Antes de irse me pidió que nadie se enterara de nuestro encuentro. Le di mi palabra y nos despedimos porque había sido trasladado a Italia a una comisión. No le conté a nadie que me había visto con el coronel, ni siquiera al equipo de periodistas de la emisora.

Por eso cuando abrí el correo que dejaba descubierta mi reunión con el coronel Vargas me impresioné, además por el resto del contenido que desde luego es falso: de mis supuestos pecados y mi decisión de no seguir con las denuncias contra la Policía.

¿Por qué una supuesta María Eugenia Sáenz, me escribía eso? Tuve la certeza de que esa persona anónima sabía cosas confidenciales sobre mí. ¿Por qué? ¿Para qué? ¿Realmente quién era?

Me llené de valor y volví a abrir el mensaje. Empecé a leer otra vez ese correo que nos había llegado a Claudia Morales y a mí.

"Hola Claudia, soy tan solo un policía que quiere obrar bien, tan solo eso... Cada que escucho noticias y sobre todo cuando mis jefes hablan de ustedes me convenzo que debo hacer lo que solo hasta hoy me atrevo a hacer... Trataré de hacer un breve relato de todo cuanto sé y pues en ti estará qué te sirve, qué puedes utilizar y pues lo único que te aseguro es que no te transmitiré un solo dato falso, sobra decir que por obvias razones de seguridad no podré identificarme.

"La DIPOL, la dirección de inteligencia, tiene una sala de interceptaciones de correos y teléfonos clandestina, a cargo del capitán Wilson Carvajal, hijo del coronel Ciro Carvajal, allí con el pretexto de blindar el proceso de paz, espían a periodistas, militares, policías y en fin, a todos los que consideren objetivos de valor, tus correos y teléfonos están interceptados, entre otras cosas han conocido temas tuyos muy íntimos... en fin, saben todo lo que haces, lo que hablas... queman todas tus fuentes y por supuesto las de mi coronel Miranda, tienen fotografías de tu hija, tuyas y de mi coronel, pero no solo de ti... Por supuesto, de todos los periodistas que opinen en contra de mi general Palomino y pues cosas personales que interesen a mi capitán Carvajal...

"Desde que tú colocaste en tu twitter fijado lo de Palomino, se reforzó la seguridad, cambiaron de sede la sala y sacaron algunos funcionarios pero se ordenó por parte de mi capitán Carvajal arreciar la persecución a Vicky Dávila, Daniel Coronell, Gustavo Gardeazábal.

"Han desplegado un equipo especial a Pereira, que se mueve todos los días a Armenia a hacer seguimiento de tus actividades, en Bogotá tienen dos carros detrás de Vicky Dávila uno de ellos un Audi gris de placas CES 867, este vehículo fue acondicionado con micrófonos de largo alcance y pudo estar también en Armenia, pero eso no lo puedo asegurar.

"Los recursos para esta operación clandestina, son sacados de gastos reservados, falsifican firmas y pagan recompensas ficticias para poder tener recursos para esta operación... todo está bajo órdenes del capitán Carvajal, que es una vaca sagrada en la DIPOL por todos los pecados que conoce, él trabaja directamente para mi general Palomino con todo el apoyo de mi general Vargas...

"Mi capitán Carvajal es muy peligroso, no solo por lo que conoce con la sala, sino por los contactos que tiene... todos en DIPOL saben quién es el capitán Carvajal y nadie se explica cómo este... perverso sigue aquí y hace lo que le viene en gana... muchos están en desacuerdo con toda esta porquería... pero es más el temor que la dignidad y por eso no denuncian.

"Espero de algo te sirva esta información y puedas hacer algo con ella, por favor no te metas con los patrulleros y suboficiales que están bajo el mando de mi capitán Carvajal... solo cumplimos órdenes y somos los primeros indignados al conocer la vida íntima de todos ustedes, Dios te guarde, guarde a la DIPOL y Guarde a nuestra Policía Dios y Patria, espero haber hecho lo correcto.

"Sumado a lo anterior detrás de Jairo Lozano tienen una camioneta blanca de placas EJS 851, estas placas las cambian, pero igual pueden mirar en sus circuitos de cámaras de seguridad que estos carros han estado merodeando tanto la emisora como sus casas".

Tomé mi celular y llamé a la periodista Claudia Morales, que también era mencionada en los correos. Traté de hablar suave para no despertar a nadie, le pregunté si había recibido el correo donde aseguraban que nos estaban chuzando y siguiendo.

De una vez ella me dijo: "Sí". Esto es muy grave, le repliqué. Le pregunté qué pensaba hacer con el anónimo. No dudó en decirme que informaría a sus jefes en Caracol Radio. Yo descarté hacer algún contacto con la Policía. Por obvias razones no podía confiar en el general Palomino y menos en el servicio de inteligencia de su institución.

Le dije a Claudia que yo hablaría directamente con el Fiscal General, Eduardo Montealegre, aunque sabía que nuestra relación era tensa por haber sido muy crítica de su gestión.

Mis manos estaban temblorosas, colgué, le escribí un mensaje a Daniel Coronell, presidente de Noticias de Univisión en Estados Unidos. Me llamó inmediatamente. Le conté lo sucedido, no omití detalles. En el correo aparecía su nombre como objetivo de seguimientos de alto valor para la Policía. Daniel siempre supo la gravedad del asunto y su apoyo fue incondicional.

El periodista por naturaleza es impaciente, un impulso me llevó a escribirle al anónimo, necesitaba descubrir sus verdaderas intenciones y saber si esa persona estaba dispuesta a ir más allá y a entregarme más información.

¿Quieren hacernos daño? Fue lo único que le escribí en ese momento. No pasó un minuto cuando ya tenía su respuesta. Era evidente que quién me escribía estaba que se reventaba. Quería hablar, o todo estaba en sus planes. Lo importante fue que respondió.

"Creen que los pueden manipular con todos los "pecados" que les tienen de largos años de seguimiento... ¡ellos saben la verdad de todo! y la gravedad de las cosas... yo también las sé, de la "Comunidad del Anillo", del cartel de denuncias para reintegros que tenía mi coronel Ciro, de aquí cómo se roban las platas de las recompensas, que si les quieren hacer daño... ya se los hacen desdibujando su imagen ante todos los policías... contando soterradamente intimidades de ustedes como damas y como periodistas... amedrentando a quienes nos atrevemos a denunciar... mostrando cómo ni ustedes pueden con ellos... ahora de llegar a atentar contra ustedes... no lo sé... si se sienten acorralados de pronto... para lograr deslegitimar a la postre tu denuncia y ponerte como una torpe que se dejó usar por el coronel Gómez... cuando ellos saben lo de la "Comunidad del Anillo", saben que el general xxxxx aún sigue con eso... todas esas cosas las tenemos aquí en contrainteligencia pero nunca nos han dejado actuar... ¡Estoy harto de tanta cochinada! De ver cómo mi capitán Carvajal ha desgraciado la vida de muchos patrulleros y patrulleras... son un asco... les tienen videos luego de emborracharlos y con eso nos obligan y manipulan... por eso no hablamos... eso lo aprendió del coronel Jerson Castellanos... todo está conectado, por eso es el peligro, tú diste en el clavo... ayer mismo nos dijo que nada iba a pasar que mi coronel Carvajal tarde o temprano ascendería, que tú no eras nadie y ya te habían callado, muchos se desmoralizaron, eras la

única esperanza, dijo que ya el mayor Quintero estaba en el decreto de ascenso que iba a ascender y que nosotros éramos intocables... ¡que nada nos podían hacer por los pecados que sabíamos! él mismo ha estado en los seguimientos que te han hecho a ti, a Jairo a Nancy y a Slodoban..." Sic.

Con tranquilidad le dije: lo que pasa es que de mí no tienen nada qué decir. Nada. Y le agregué: dime si puedes ayudarme a conseguir pruebas. De todo lo que nos están haciendo.

"Vicky eso yo lo sé... pero de eso no se trata, ellos manipulan, por supuesto a ti no te lo dicen... se lo dicen al gobierno para deslegitimarte... arman "verdades" con mentiras... con datos ciertos pegan cosas... es un arte de ellos..." Sic.

Me dicen que me tienen el chat chuzado por completo.

"Todo lo tuyo, lo de Daniel Coronell, lo de Claudia Morales, lo de Gardeazábal... y sigue lista, está controlado... todo... eso es manejado por el capitán Carvajal quien solo rinde informes al general Vargas... La fachada es que protegen el proceso de paz... Andrómeda es un chiste al lado de estas salas son dos... una de correos otra de celulares... igual te desinforman... tienen gente para hacerlo... para restar credibilidad a lo que logras enterarte... como lo han hecho con el ministro de Defensa... convirtiendo graves denuncias... en chismes... colocándote como una ficha de la guerra de los generales... nada más lejano... están es muy asustados por todo lo que sabes y por las fuentes que manejas..." Sic.

Lo de Vargas me deja muy pensativa. Seguro no debo fiarme de él. Nadie sabía supuestamente que se iba a ver conmigo.

"Ten cuidado con algunas (fuentes) que quieren hacerte equivocar para que pierdas credibilidad... te admiro... bendiciones Vicky... igual te haré llegar algunas cosas mi conciencia estará tranquila" Sic.

Mi interlocutor se esmeró primero por demostrarme que tenía información privilegiada, que no era alguien común y corriente. Se presentó como un policía de bajo rango, arrepentido, que hacía parte de toda la estrategia de interceptaciones ilegales y seguimientos contra los periodistas que investigamos las denuncias contra el general Palomino. Se presentaba como un salvador, como si su misión fuera de vida o muerte.

> *"Vicky no tengo razones para mentirte... muchas sí para protegerte... me la juego el todo por el todo porque siempre he creído en el bien... confías en quien no debes... ellos creían que nunca ibas a sacar lo de Palomino... te han intentado desprestigiar con colegas tuyos, políticos, han intentado acabar con tu carrera por eso... todos los medios y recursos de la dirección de Inteligencia por orden de Palomino y el general Vargas están para acabarte... es delicado... influyen en muchos sectores... creo en ti... ojalá tú lo hicieras, confiaras en mí, no tengo interés diferente que destapar ollas podridas y hacer una mejor policía, somos más los buenos... tú con Claudia y Daniel son de los pocos que muestran valor ante el poder de esta gente"* Sic.

El primer correo del anónimo lo recibí la noche del 29 de noviembre de 2015. En los siguientes cuatro días intercambié 170 mensajes con ese personaje misterioso. Me sentía frente a una caja de Pandora. Yo le preguntaba y él o ella, aún no sé con certeza, contestaba sin dar espera. Siempre le insistí que necesitaba las pruebas de lo que me estaba revelando.

La noche de los primeros mensajes empecé a buscar al Fiscal General, Eduardo Montealegre. Tenía que confiar en alguien. El Fiscal estaba en Ecuador y tan pronto se enteró que lo estaba buscando con urgencia, se mostró interesado en ayudarme.

Angustiada como estaba, no sabía si despertar a Jose, mi esposo, para contarle. Decidí dejarlo dormir. Tampoco sabía si seguir o no en la conversación con el anónimo, no sabía si taparme con las cobijas y olvidarme de todo. No sabía qué hacer. Apagué el televisor y todo quedó oscuro en la habitación. Me acosté sobre el lado izquierdo, me cambié al lado derecho. Aguanté por unos minutos y volví a mirar el teléfono. Abrí el correo de nuevo.

Ahora quien me escribía estaba pidiéndome un número de teléfono que no fuera el mío para mandarme unos documentos sobre escándalos en la Policía. Pensé que no debía seguir en esa comunicación con un desconocido. Lo dudé, pero finalmente la angustia, la curiosidad y el impulso que tenemos los periodistas de saberlo todo ya, me llevaron a seguir conectada. Sentí que me la debía jugar.

Como me demoré unos minutos en mi debate interno aquel misterioso informante me escribió: "Veo que no confías en mí". Le respondí que sí, que sí confiaba y le envié el número que me estaba solicitando. Se comprometió a mandarme documentos por el chat. Durante la siguiente hora esperé esos datos, pero no llegaron.

Hice otro esfuerzo para dormir, volví a quedar a oscuras. Me sentía indefensa, vulnerable frente a algo que se veía cada vez más peligroso. Me parecía muy raro que alguien totalmente extraño a mi círculo familiar pudiera tener datos exactos de mi vida personal y profesional. Cerré los ojos. Esa noche no pude dormir.

Al día siguiente, el 30 de noviembre, me levanté muy preocupada. Antes de poner los pies en el piso, miré el correo, necesitaba muchas respuestas. Ahí estaba de nuevo María Eugenia Sáenz. Como lo prometió, había mandado los documentos. Decía muchas cosas, cada una más comprometedora que la otra. Traté de abrir los archivos en mi teléfono, pero no abrieron. Insistí, pero no. El tiempo pasaba, yo estaba corriendo para hacer el noticiero de La FM esa mañana, pero aún luchaba con mi celular para abrir los mensajes. A pesar de que se aproximaba la hora para estar al aire, no podía despegarme del aparato.

Durante el día nos cruzamos mensajes con aquel personaje, aunque se había identificado como María Eugenia Sáenz, yo tenía la convicción que era un hombre. Tal vez por la forma como escribía y por mi intuición, llegué a esa conclusión.

Cuando terminé el programa radial reuní a los periodistas. Tenía la obligación de contarles lo que había pasado. Ellos debían saber todo y los riesgos que estábamos corriendo. Quedaron impactados. Me sentí más responsable por ellos, me sentí aún más orgullosa de mi equipo. Asumieron con madurez lo que se nos estaba viniendo encima. Todos con valentía y amor por nuestro oficio, dijeron "hay que seguir adelante con nuestras denuncias".

Con ellos fui una reportera más. Todos conseguíamos datos, visitábamos las fuentes, algunas de manera secreta, no nos alcanzaban los días en medio de largas jornadas de trabajo, cada información que confirmábamos era un logro para todos, no había rivalidades, ni jefes, ni subalternos, solo había periodistas buscando la verdad. Fueron unos días difíciles, pero unos días en los que estábamos tan unidos, que hoy los extraño.

Sobre las siete de la noche de ese lunes, el vicefiscal Jorge Perdomo llegó a mi casa, venía de parte del Fiscal General. Mis mensajes de alerta y angustia les parecieron graves, sabían que de por medio estaba la seguridad del equipo de La FM y que el ejercicio periodístico estaba amenazado.

Atento, escuchó la historia que había empezado para mí hacía menos de 24 horas. Cogió una servilleta y comenzó a anotar. Le alcancé un par de hojas. Fue riguroso. Me dijo, comience desde el principio, desde las denuncias que han hecho en la emisora sobre la Policía. Me interrumpía para precisar detalles. Cuando le conté lo de la "Comunidad del Anillo" y sobre la misteriosa muerte de una mujer policía, él me reconfirmó que la Fiscalía había reabierto ese proceso hacía varios meses y había encontrado nuevos indicios que descartarían la versión oficial de un suicidio.

Durante dos horas el vicefiscal escuchó como investigador mi relato, desde la "Comunidad del Anillo", los informes contra el general Palomino, hasta el surgimiento en las últimas horas de aquel personaje y sus correos en los que me alertaba de que nos estaban chuzando y siguiendo. Le dije que lo intimidante de esos mensajes era que contenían algunos datos precisos sobre mi vida privada e información sobre mi actividad periodística que había realizado en absoluto sigilo.

Una vez terminé, Perdomo fue claro: "Vicky, por la gravedad de lo que me cuenta, usted tiene que denunciar esto oficialmente en la Fiscalía. Nosotros podemos comenzar una investigación de oficio, pero lo mejor es la denuncia formal".

Le dije que tenía que pensar el tema y fundamentalmente consultarlo con mis jefes. Que yo tenía que tener el respaldo total de RCN. Él me dijo: "Tranquila, haga sus consultas, pero no se demore. Entre más rápido comencemos es mejor. Por ahora y para no perder tiempo, el director del CTI se encargará de empezar a mirar esos correos y hacer los primeros rastreos".

En ese momento nosotros ya teníamos como dato cierto, que sí existía el carro Audi gris, que según el informante era utilizado para seguirnos. El vehículo, donado por la Embajada de Alemania, pertenecía a la dirección de Inteligencia de la Policía. También existía el capitán Wilson Fernando Carvajal, quien además resultó ser el hijo del coronel Ciro Carvajal, el secretario general de la Policía que aparecía en las grabaciones en las que junto con otros oficiales presionaba al coronel Reynaldo Gómez para que cambiara su denuncia de acoso sexual contra el general Palomino.

Carvajal, efectivamente trabaja en inteligencia y tiene responsabilidades muy importantes. La Fiscalía y la Procuraduría deberán desvelar si lo que dicen los correos sobre el oficial es cierto o no.

Acompañé al vicefiscal hasta el ascensor y nos despedimos. Cuando cerré la puerta vi en mi esposo y en mis dos hijos, los rasgos apabullantes de la incertidumbre. Traté de explicarles, pero sabía que por más que les dijera cosas ellos sabían del riesgo para todos y de mis angustias.

Ese lunes la periodista Claudia Morales, tras recibir el primer anónimo, se comunicó con sus jefes en Caracol Radio y con el departamento de seguridad de su empresa. La decisión fue informar al general Rodolfo Palomino de lo que estaba pasando. La propia Claudia habló con Palomino y en una conversación fuerte lo responsabilizó de lo que pudiera sucederle a ella y a su familia.

El martes, primero de diciembre, fue un día definitivo. Llegué a la emisora con el compromiso personal de hablar con las directivas de RCN Radio para contarles lo que estaba sucediendo y escuchar sus opiniones al respecto. No podía darle más tiempo al anónimo, ni al problema.

Me sentía un poco frustrada, yo quería que ese informante anónimo me enviara las pruebas de todo. No sabía qué más decirle, ni qué más proponerle. Estaba dispuesta a asumir el riesgo que fuera necesario pasa saber la verdad. ¿Quién nos estaba siguiendo? ¿Desde cuándo? ¿Por orden de quién? ¿Cuál era la historia real de aquel misterioso policía? Todo eso me daba vueltas en la cabeza.

Mi vida se había trastornado. Aunque iba a trabajar, mi mente estaba puesta en los correos. Los había leído tantas veces que era capaz de recitarlos con puntos y comas. Los repasaba, una y otra vez. En mi mente rondaban todo tipo de teorías. Incluso, que todo era un juego macabro: el informante decía que hacía parte de la misma institución a la que pertenecían los oficiales que estábamos denunciando y más allá de ayudarme, revelando los detalles de los seguimientos, en el fondo también había una amenaza directa que me advertía de qué podían ser capaces y lo que podía sucedernos.

Esa mañana mientras estaba al aire, el anónimo escribió de nuevo: "Pilas que ya aquí saben que tú sabes de los seguimientos del carro gris. Ordenaron levantar todo y cambiar las fachadas, pero seguir chuzando. Hay fuerte revuelo".

Claudia Morales, en un mensaje breve me había contado que ya el director de la Policía Nacional sabía de los correos donde la mencionaban a ella y a mí y que nos habían alertado de que nos estaban chuzando, siguiendo y adelantando una campaña de desprestigio contra nosotras. Por eso el nuevo mensaje del anónimo me volvía a demostrar que él estaba dentro de la Policía y sin importar quién fuera y a qué bando perteneciera, tenía información precisa, valiosa y actual. Sinceramente, me quedaba claro que los anónimos me llegaban desde la propia Policía.

¿Quién me los enviaba? La incógnita que aún hoy no logran despejar las autoridades.

Nada era coincidencia. Si el anónimo me advertía que ya sabían en la dirección de Inteligencia de la Policía que yo estaba enterada de los seguimientos ilegales, era porque el general Palomino les había contado, tras la alerta de Claudia, o porque tenían chuzadas a tantas personas, incluso, al propio Palomino.

El anónimo insistió en que yo tuviera en mis manos una serie de denuncias sobre la Policía con nombres propios, correos que la Fiscalía debería investigar. No sé qué tanta veracidad pueda tener esa información en la que relacionaba a varios e importantes generales y coroneles con muy graves casos de corrupción. En uno de esos documentos me llamó la atención el énfasis que hacía contra el coronel al que había recibido en mi casa y que supuestamente era un secreto, ya que el oficial me había pedido total confidencialidad.

> *"Mi coronel Vargas no es honesto… El coronel Vargas fue a verte y tratar de convencerte por orden del general Palomino inclusive pensaba grabarte o lo hizo… Igual usan ese encuentro para manipular las cosas sumado a las flores que le echaste el viernes a mi coronel Vargas…".*

En medio de mis cavilaciones solo había estas posibilidades: o aprovecharon mi cercanía con el oficial para que se infiltrara fácilmente en mi casa, para sacar información o el coronel había contado de nuestro encuentro o nos estaban siguiendo, ¿el oficial era una víctima también? Siempre creí en su rectitud. Cualquier alternativa era posible. Hoy no sé qué pensar sobre el coronel, sin embargo, supe que cuando rindió su versión ante los fiscales dijo que mientras se despedía de sus superiores para viajar a Italia, le dijo a Palomino que se había visto conmigo y que yo "iba con todo"; lo extraño es que no contó si su jefe le preguntó sobre los detalles de nuestra conversación. ¡Imposible de creer!

También dijo que llamó al general Ramírez por el Falcón de Palacio y que se sorprendió cuando este le dijo que sabía que se había visto conmigo. Tampoco hubo más explicaciones.

Cada correo anónimo, cada dato nuevo me abría más y más interrogantes. En cada cruce de información con aquella sombra yo trataba de tener mayor cercanía, de conocer realmente su juego, pero se mantenía en el anonimato.

"Creo que el medio más seguro para hablar contigo, por ahora, es por aquí... O no lo sé, a la final corro un gran riesgo y aunque estoy muy asustado, sé que estoy haciendo lo correcto... Tengo varias historias por contarte... Para equilibrar la balanza de la manipulación de estos bárbaros, para fortalecer tu prestigio que estos desgraciados han querido debilitar mostrándote como una chismosa que se prestó para el juego del coronel Gómez... Manipulan la información a su antojo. Va la primera... Te tengo toda la historia de la "Comunidad del Anillo", con el dictamen de Medicina Legal que comprueba que a la cadete Lina Maritza Gómez Zapata la mataron y quién participó en la muerte, que no es nada más ni nada menos que mi capitán Lucumí que también trabaja en la DIPOL, con la ayuda del teniente coronel Torres..." Sic.

"Te voy a enviar unas fotos que logré tomar a la declaración dada por mi capitán Lucumí cuando era alférez a la Justicia Penal Militar donde acepta que acompañó a Lina al alojamiento y que pese a estar a menos de 50 metros no oyó el disparo... Lucumí es de la "Comunidad del Anillo", igual te envío una foto del alférez Marín, la foto del catálogo de la "Comunidad del Anillo", así mismo te voy a enviar el dictamen de Medicina Legal que muestra negativa la prueba de absorción atómica de Lina, lo que quiere decir que ella no disparó el arma, la mataron... Esto está oculto, hace parte de las pruebas de asuntos internos que no quieren que se conozcan y han ocultado todos estos años..." Sic.

Contra estos oficiales mencionados en los anónimos no hay medidas judiciales, ni investigaciones vigentes. Sin embargo, sus nombres contenidos en estos escritos son analizados por la Fiscalía.

Los correos que me seguían llegando eras insistentes en temas como la "Comunidad del Anillo".

"La 'Comunidad del Anillo' sí existió y existe aún hoy en día, con ella han manipulado congresistas, políticos, militares... periodistas... Es una red de prostitución al servicio del alto mando policial, son hombres y mujeres... que drogan o alcoholizan y luego graban teniendo relaciones sexuales y posteriormente manipulan con las grabaciones para que se presten a todas sus fechorías, por eso difícilmente los involucrados van a hablar... Tienen miedo y vergüenza...".

"De esos hechos hay testigos y algunos pocos que han denunciado con valentía... Al capitán Orjuela... Pobre hombre... Muy seguramente le hicieron un montaje... Pero él sabe muy poco, la ficha clave de esa "Comunidad del Anillo" es el capitán César Ospina, los alféreces de la época hoy capitanes dicen que él denunció todo, que se ha ratificado en todas sus denuncias pese a las amenazas, deberías hablar con él... Aunque también trabaja con el general Vargas en la DIPOL, sabrá Dios si es confiable, pero los archivos muestran que denunció toda esa porquería y puede tener más información... Aunque debes tener cuidado con él, uno no sabe." Sic.

"De los archivos hay otra ficha clave de la "Comunidad del Anillo" aparte del capitán César Ospina, que también sabe muchas cosas y ha sido amenazada, es la Alférez hoy capitán Leidy Echeverry, ella era la mejor amiga de Lina según los expedientes y fue amenazada por el mayor Torres Orjuela, a ella la prost. xxxx y habló muchas veces que a Lina la mataron hasta que la amenazó este mayor y jamás volvió a denunciar..." Sic.

Todos estos supuestos hechos y protagonistas eran nuevos para mí y hoy sigo sin saber qué de todo esto han podido confirmar los investigadores del caso.

Aquella fuente tenía información sobre el caso del general Luis Eduardo Martínez, a quien un informe de la DEA en vísperas de su ascenso, llevó al Gobierno a pedirle la baja e incluso el gobierno de Estados Unidos le canceló la visa. Luego fue absuelto por la Procuraduría.

"Del segundo caso que reposa información es del general Martínez, amigo íntimo del general Palomino, aquí tienen archivos de la DEA sobre las declaraciones de los narcos en su contra, información que jamás han permitido se conozca en las juntas de generales porque es el consentido de Palomino y ahora del Mindefensa... Vaya uno a saber por qué... De él tengo esos documentos originales, con logos de la DEA y las traducciones oficiales que se hicieron aquí... Te voy a enviar todo por aquí... Tú verás cómo los usas... Igual yo ya estoy jugado y pase lo que pase que reine la verdad..." Sic.

Una mañana el informante misterioso me sorprendió con una petición, mientras yo le insistía en que me enviara más pruebas de sus afirmaciones.

Me escribió: "Si usted es Vicky Dávila, entonces envíeme un saludo o algo así. La estoy escuchando en la reserva del sumario (la sección de confidenciales de La FM Noticias). Quiero saber si usted es quien me dice que es, o si estos bárbaros ya están manipulando su correo".

Al principio me molesté y le dije que si yo había confiado en él, él debía confiar en mí. Yo no sabía nada de él o de ella. Pero él o ella, sabía todo sobre mí. Sin embargo, le envié el saludo que me pidió al aire, previamente le advertí lo que iba a decir:

—*"Un saludo muy especial a esta hora a todos los seguidores de la reserva del sumario".*

—*"Ya sé que sí estoy hablando con Vicky Dávila".*

Una hora después recibí el mensaje que esperaba desde que comenzó el contacto: "Te tengo las pruebas que me pediste".

El corazón empezó a latirme fuerte, se me volvió loco. Miré a Juan Pablo y le mostré el mensaje. No podía recibir esas pruebas, sola. En serio, necesitaba apoyo moral y quién mejor que mi compañero incondicional de la mesa de trabajo. Saber que alguien te sigue y te escucha sin que lo sepas, es realmente escalofriante.

"Mira... tu informe dice o está identificado como OAV-P-13 que traduce Objetivo de Alto Valor - Periodista y con el Alias de la CERDA o la NINFÓMANA VALLUNA dice".

"Alias la CERDA ha tenido contactos con Ernesto Yamhure, para que logre que el excomisionado Luis Carlos Restrepo y Andrés Felipe Arias sirvan en un libro que cuente la parte humana de sus experiencias y conceptos sobre la justicia colombiana.

"Alias la CERDA, ha venido recibiendo información de diferentes policías sobre irregularidades en la Policía Nacional, con énfasis en la llamada "Comunidad del Anillo". NOTA: Verificar las IP, oportunidad de suplantar algunos y desinformar a Alias la Cerda, consultar propuesta.

"Alias la CERDA se reunió el pasado 5 de marzo con el general Gustavo Ricaurte. Nota: contactar fuente que tenemos cercana a Ricaurte y profundizar temas de la reunión". Sic.

Durante un buen tiempo leí esos correos. Se había convertido en una disciplina buscar entre líneas más datos, más pistas. La sola denominación por un alias era una ofensa.

"HOLA estás ahí???? Vickyyyy".

"Holaaaaa estás ahí???".

Yo sí estaba ahí, pero estaba aterrada con lo que estaba leyendo. Entonces el anónimo empezó a explicarme otros detalles de lo que me había escrito de las interceptaciones ilegales y los seguimientos. Su información era cada vez más relevante e intimidante. Deduzco por sus palabras que los seguimientos llevaban tiempo, que era un trabajo sistemático, coordinado por alguien y de unas proporciones incalculables en todos los sentidos. Todo era escabroso.

"Eso es parte de un informe, hay por lo menos cincuenta informes tuyos y un número similar de Claudia y de otros periodistas, hay una

carpeta adicional que se llama resultados, ahí hay fotos tuyas, de tu esposo, de tus hijos y está relacionado como administrador de la fuente mi coronel Carlos Vargas, Alias el Cabezón, hay unas grabaciones tuyas de encuentros que has tenido con él y hay en total como 60 audios pero no sé de qué son... ¡Están protegidos algunos!

"Hay un listado de fuentes de Claudia, inclusive una información por confirmar sobre su "relación" con el presidente Uribe, de Gardeazábal hay fotos pornográficas que han enviado sus amantes... Igual sus fuentes... Hay mucha, mucha información, el alias de Claudia es la Prostituta o la flaca, el de Gardeazábal es el travesti o el abuelo, el de Ramiro Bejarano es tres letras, el de Néstor Morales es el Delicado, el de Felipe Zuleta es Perdomito o Anillo Negro, el de Claudia Gurisatti es Mona Negra...".

¿Por qué los seguimientos? ¿Por qué los periodistas, tantos y tan distintos que somos unos de los otros? Yo estaba perpleja.

"Bueno creo que te fuiste, cuando pueda te vuelvo a contactar, hay mucha información, pero está protegida y es imposible sacarla... Podría fotografiar, pero es un gran riesgo porque es en la pantalla, me tocaría aprovechar un descuido de mi capitán Carvajal para lograr fotografiar lo que tiene impreso, solo él puede imprimir o bajar digitalmente, o seguir pasando de memoria lo que logre ver...".

Yo no me había ido, incluso no me podía mover de lo impactada que estaba con todo eso. Estaba muda. No sabía cómo seguir aquella conversación.

Sí, aquí, fue lo único que le escribí. Y le insistí: mándame más, y eso fue lo que hizo.

"¡Hola! No puedo sacar nada... Todo toca mirarlo y luego escribirte de memoria... la Cerda recibió un audio en que un capitán de la Policía da indicaciones a un grupo especializado de cuántas capturas deben hacer por día, alucinógenos... Le indica que si no cumplen

dañan su hoja de vida. NOTA: identificar plenamente el oficial para adelantar acciones.

"La Cerda mantiene contacto con el patrullero Esteban Torrado quien suministra información del llamamiento a concurso de patrulleros. NOTA: posibilidad de suplantar y desinformar.

"La Cerda ha venido sosteniendo comunicaciones con el intendente Luis Ernesto Pulecio Díaz, caso de Casanare. NOTA: verificar con asuntos internos el tema...

"La Cerda intenta entrevista con Timochenko, pero fue rechazada por el mismo por considerar a RCN como parte de los monopolios mediáticos.

"La Cerda realizó contactos con el abogado Daniel Santos, apoderado de los patrulleros que hicieron fraude. NOTA: verificar con el grupo externo, el abogado y sus contactos en Barranquilla.

"Alias la Cerda viene dirigiendo una investigación sobre las denuncias de acoso sexual del general Mantilla contra dos empleadas del club social Casa Mata. NOTA: coordinar con el grupo externo la consecución de pruebas y testimonios que sirvan para afianzar el tema y hacerlo llegar a alias la Cerda.

"Alias la Cerda recibió mensaje de agradecimiento del general Juan Pablo Rodríguez Barragán por el manejo y tratamiento dado a las versiones del coronel Robinson González del Río. NOTA: estudiar capacidad y conveniencia de nuevas filtraciones sobre el tema y a qué fuentes".

Los mensajes eran escritos a la velocidad de una transcripción. Como si los estuviera leyendo, copiando y disparando en el correo. Casi toda la información era cierta. No me habían perdido detalle.

En ese momento, era más el tiempo que yo pasaba leyendo y analizando aquellas notas que él escribiendo. Solamente volvía a la realidad con sus alertas. Un nuevo mensaje.

"Estás????

Bueno de memoria hay varias carpetas, una dice Vehículos, otra dice motos y otra dice bicicletas, al abrir están unos audios, o sea, vehículos audios, motos, correos y bicicletas hay chats de bb y de ws, los informes están en otra carpeta hay mucha información, mucha".

Dicen que en los pequeños detalles está Dios. Pues bien, un detalle de este correo me reconfirmaba que todo era cierto, que los seguimientos eran reales y que en algún lugar de los organismos de inteligencia de la Policía guardaban información de chuzadas ilegales a mucha gente, especialmente a los periodistas. El detalle era que él mencionaba mensajes míos en Blackberry y Whatsapp en un Iphone. Recordé que apenas unos meses atrás tuve que cambiar el celular luego de que la Blackberry cayera a un inodoro en el aeropuerto de Barranquilla. Desde entonces comencé a usar Whatsapp en un Iphone. Eso explicaba lo que acababa de decirme el anónimo. Unos mensajes que me habían interceptado eran de Whatsapp y otros de Blackberry.

Dejé a un lado mis temores y seguí adelante con más vehemencia al descubrir ese detalle que parece insignificante, pero es diciente, ¿cómo iban a saber de mi cambio de tecnología? Yo quería saber todo. Le escribí: esto es muy importante para mí. ¿Dime qué más hay?

"Hay una carpeta que se llama REPARACIONES, ahí están unas fotografías del caso MIRA y la senadora Piraquive, cuentas, correos, hay otra subcarpeta en reparaciones que se llama PRIMOS, hay varias fotografías de la sala Andrómeda, videos de gente ingresando y fotos de varias personas, otra subcarpeta que se llama PRIMOS 1 hay fotos y correos del coronel González del Río y seguimientos al parecer de militares que salen de un batallón y están detenidos".

¿Sobre mí hay algo más? ¿Sobre otros periodistas?

"En la misma carpeta reparaciones hay una subcarpeta que se llama GERENTES ahí hay unos correos de mi general Guatibonza, de mi general Ramírez, datos de sus familias y algunas fotografías.

"De periodistas hay más, de Daniel Coronell, Ramiro Bejarano, La Nena Arrázola, Gardeazábal".

Le insistí: ¿Sobre mí hay algo más? ¿Sobre otros periodistas? ¿Eso está en físico?

"Esta en un disco duro que maneja mi capitán. Aquí hay cinco computadores y dos discos duros, el completo lo maneja mi capitán. El otro tiene los programas sobre lo que trabajamos y cosas fragmentadas, pero mi capitán pasa cosas al disco de aquí y del disco de aquí a el de él... Por eso puedo ver algunas cosas".

Sentía que de alguna manera estaba secuestrada, que era vulnerable. Que parte de mi vida personal y profesional estaba en manos de alguien extraño, que podía hacerme daño. El anónimo me advertía que a Claudia Morales y a mí nos podían matar por todo esto. Le escribí: mándame fotos de lo mío por fa, que se vea el computador.

"¡No puedo verlo! Están con alias, pero están sus celulares y unos ws y unos audios. No puedo ejecutar todo... Es muy peligroso que mi capitán vea que yo estoy abriendo esos archivos".

Entiendo. Y esos alias tan extraños, Cerda y Ninfómana. ¡Qué horror!

"¡Eso es imposible! Hay cámaras Vicky. Esto no es de principiantes, y no estoy solo, lo que hago es de memoria, de lo que veo, cosas que he escrito en papelitos que meto en mis partes íntimas, las fotos de documentos han sido de lo que ha dejado mi capitán, el carro, o sea lo que está impreso que es lo que carga él solamente...".

"¡Vicky, esto es muy peligroso! Yo mismo estoy involucrado, contradictorio pero yo mismo me puedo estar echando la soga al cuello, aquí hay gente muy buena pero que están engañados...".

Yo te doy las gracias. Dios te pague.

"Yo quisiera poder hacer más... Pero debo también cuidarme, ellos son muy peligrosos... Mi capitán se jacta de su poder y cercanía a

mi general Palomino y mi general Vargas y pues igual quiero que esto acabe pero no puedo inmolarme".

"La fachada institucional de estas salas es que blindamos el proceso de paz… Pero pues eso es solo por ahí el 5% de lo que hacemos y lo hacemos también chuzando. Andrómeda es una mancha en el papel al lado de esto…".

"Yo solo te alerté a ti y a Claudia, temo que las maten y no quiero seguir más en esto, pero debo saber cómo salir sin perderlo todo, no quiero que me pase nada ni a mí ni a mi familia ni a muchos inocentes que están aquí, esto alguna vez fue ético pero perdió el rumbo con mi capitán Carvajal y sus ambiciones, con cada orden perversa de mi general Palomino… Es un círculo vicioso de donde quiero salir, ya no sé quién es malo y quién es bueno…".

Le lancé una propuesta clara. Veámonos.

"¡Bueno Vicky! Por ahora te dejo… Dios te guarde, ¡Dios las guarde! Y perdón, la Policía no es mala… Solo hay algunos adentro que nos hacen daño… ¡De verdad quisiera hacer más pero debo pensar en mí y mi seguridad! Ya arriesgué bastante… Espero que todo esto de algo sirva y que las cosas aquí cambien para bien y cerrar este capítulo de mi vida, dejarlo en el olvido…

"¡Eso es muy peligroso! ellos saben todos tus movimientos, los de Jairo, Nancy, Slodoban… ¡Todo de todos! Es peligroso, demasiado, quiero vivir y salir de todo esto bien, solo deseo en algo resarcir el daño en que he participado por torpe y ambicioso… Por dejarme manipular por tonto e incauto.

"Vicky, ten muchoooooooo cuidado, lo que sé es muy poco a lo que ellos manejan, solo soy una ficha… y eso una cadena larga, ellos manejan con "información" al ministro a su antojo, mi general Palomino tiene en estas salas un gran poder de manipular…

"¡¡¡Periodista, Periodista eres una gran mujer de admirar!!!, más policía que muchos de nosotros… ¡Dios te guarde siempre! Mi admiración y respeto siempre. Espero haber contribuido en algo… Bendiciones

Vicky, cuídate mucho... Adviértele a Claudia, es algo muy serio y recuerda que yo solo tengo una parte del rompecabezas... Todo puede ser aún peor... Hay demasiados intereses aquí...".

Sentía algo de gratitud con aquel informante, tenía dudas de sus verdaderos propósitos, no sabía realmente para quién estaba haciendo eso o si realmente él estaba corriendo algún riesgo, o todo hacía parte de un libreto macabro, de una amenaza, pero la información que me entregaba era real. Me estaban chuzando y siguiendo. No necesité hacer memoria. Tenía frescos los recuerdos de conversaciones de las que me hablaba, los chats y los encuentros. No había duda que sabían cosas de mí que eran privadas. Una ráfaga de pensamientos me llegó, sentí culpa por mis hijos, mi marido y por toda mi familia. Los había expuesto, sentía que estábamos en peligro.

Después de estos correos busqué a los directivos de RCN Radio y a los abogados de la cadena. Les conté todo y les leí algunos de los correos.

El mensaje que más me indignaba, era el que hablaba de una estrategia de la Policía para desprestigiarme y vincularme con enriquecimiento ilícito: tratando de reclutar como fuente humana a un empleado que había despedido.

El anónimo tenía el nombre completo de ese señor. Fue curioso, nunca tuve presente el segundo apellido de quien trabajaba para mí, pero el anónimo sí lo sabía. Los hechos ocurrieron en 2014, entonces acudí al abogado Abelardo de la Espriella para que me asesorara en el manejo jurídico del asunto. El informante me lo estaba recordando todo con exactitud.

El correo traía todos esos detalles y además decía: "Nota: oportunidad de vincularla con enriquecimiento ilícito, verificar de dónde salió esa plata, contactar al (exempleado) y reclutarlo como fuente" Sic.

Luego supe que informes de la Policía también buscaban vincularme a mí y a mi familia con un supuesto soborno a dos magistrados para sacar de la cárcel al exgobernador de La Guajira

Francisco, Kiko, Gómez. Una versión absolutamente descabellada. Nada tengo que ver con un delincuente como ese.

Estallé en llanto en la oficina de mi jefe. Me sentía indefensa, víctima de algo que me superaba. Allí, les dije que yo aceptaba el consejo del vicefiscal de denunciar el caso legalmente ante la Fiscalía, de ir más allá de la denuncia pública. Estaba frente a la posibilidad de ser víctima no solo de los seguimientos y chuzadas, sino de un montaje que podía acabar con mi único capital: mi honorabilidad.

La empresa y la Organización Ardila Lulle me apoyaron en denunciar el caso. Me dejaron en manos de los mejores abogados. Esa tarde la sentí interminable. Fui de un lado a otro en medio de una Bogotá muy congestionada. Tenía tanto afán como nunca. El abogado Jaime Lombana me esperaba en su oficina. Cuando estaba a una cuadra del World Trade Center lo vi parado en el andén, sentí un descanso, me bajé del carro y apresuré el paso, me abrazó y me sentí protegida, en un momento en que el mundo se me venía encima por haberme metido a investigar la Policía. Por esos días estábamos a punto de publicar "Generales y ricos", un informe sobre el patrimonio del generalato. Tenía claro que para atrás, imposible.

Subí con Lombana a su oficina. Había mucho movimiento. Me llevó a su despacho y minutos más tarde llegó Jairo Lozano, Jairito, así le digo de cariño a uno de los periodistas que más quiero, un ser humano insuperable.

Con Lombana quedamos en que al otro día haríamos formalmente la denuncia. Jamás había puesto una queja en la Fiscalía, pero tenía que hacerlo. Al salir no sabía si quería regresar a la casa para que me mimaran o si era mejor no ir a atormentarlos con semejante problema.

Esa noche, casi a las 12, el anónimo volvió a escribir, pero yo estaba dormida, solo lo vi cuando me desperté a las 4 de la mañana. Pero esta vez, se estaba despidiendo. Pasaba de los insultos a las bendiciones.

"Vicky, confié en ustedes y creo que intenté hacer lo correcto, ustedes han confiado en quien no deben o tal vez terminan siendo iguales a mi capitán y esa gente y creen que nosotros los de la base somos menos que ustedes, lo que sea en algo tranquilizo mi conciencia!!! Dios las bendiga, los malos ganaron esta partida y han tomado acciones contra inocentes... Mi capitán Carvajal jura que se vengará de quien lo traicionó y solo vamos a seguir cambiando de sedes y secuestrados en este infierno y ustedes por ingenuas y con respeto les digo, torpes... Chuzadas y todo manipulado al antojo de todos estos malvados... Dios las bendiga!!! Por obvias razones como aparecí, desaparezco, jamás les mentí y solo busqué protegerlas, confié en ustedes y me equivoqué, esto le ha costado muy caro a inocentes que se han sacrificado por mis torpezas, atrevimiento o traición... Dios la bendiga ¡Adiós Vicky!".

Traté de detenerlo, sabía que a pesar de las dudas que tenía sobre él o ella, mantenerme en contacto tenía un valor fundamental para llegar a la verdad.

No sé por qué me dice eso. Le escribí. Le dije que podía confiar en mí: yo solo quiero decirle que a los de la base los admiro y los respeto. Su valor, se lo he dicho, ha sido importante para mí. He estado atenta a sus advertencias. En la Policía no he hablado con nadie.

La fuente se silenció durante varias horas.

Era el miércoles 2 de diciembre. A las 10 de la mañana había hecho la denuncia ante las autoridades. Cuando me dirigía a reunirme con el Fiscal General, Eduardo Montealegre, recibí el último anónimo. Entendí que lo había perdido en busca de la verdad.

"¡No sabes lo que le está costando mi osadía a muchos compañeros! No es justo, solo quise hacer lo correcto, tal vez tú no, Claudia o tal vez pese a mis esfuerzos esto está chuzado también, igual ahora será peor el infierno y continuaremos secuestrados al antojo de mi capitán, a su voluntad con sus manipulaciones, Dios nos proteja, Dios

te proteja, las proteja, solo he querido recomponer el camino, cambiar tanta maldad y manipulación y terminé dañando a mucha gente que sufrirá las consecuencias de las rabias y poder de mi capitán, qué triste, tal vez es cierto lo que mi capitán pregona a los cuatro vientos, él y su padre son intocables, todopoderosos y como él lo dice el que se mete con ellos se estrella con la Policía, me equivoqué... y calculé mal el alcance y poder de esta gente que termina conociendo todo. ¡Que Dios las guarde y nos proteja a nosotros para algún día salir de este infierno...!" Sic.

No sé quién eres, pero te agradezco. Yo no he avisado nada en la Policía. Dime: ¿has sabido algo más? Y ¿Por qué dices que le avisaron al capitán? ¿Qué está haciendo él?

Nunca obtuve respuesta. Quisiera que ese anónimo regresara, aunque una de las líneas de investigación de las autoridades tiene la hipótesis de que este personaje simplemente cumplía órdenes para asustarnos y que no siguiéramos con nuestras denuncias. Espero que no sea así. En mi corazón quedé con la idea de que en realidad siempre pretendió ayudarnos.

Ya era miércoles, 2 de diciembre, a las 10 de la mañana había hecho la denuncia formal ante la Fiscalía. El director del CTI llegó con su equipo, le conté todo y ordenó recolectar como prueba los correos que intercambié con el anónimo. La diligencia duró 8 horas aproximadamente.

Estos correos son algunas de las pruebas que existen sobre estas chuzadas y seguimientos ilegales contra periodistas. Las mismas que el presidente Santos nunca quiso conocer, las mismas que la Fiscalía y la Procuraduría valoraron y siguen en busca de la verdad, en busca de los responsables.

De por medio podría estar desde la guerra de generales por el control de la Policía, hasta las retaliaciones del general Palomino por las denuncias que hicimos en su contra, ¡pero que a mí no me digan que las pruebas de las chuzadas no existen! Ahí están.

Soy consciente de que las investigaciones pueden dejar esto en la impunidad, sé que encontrar a los responsables es una tarea muy difícil. Funcionarios de la Fiscalía de alto nivel me lo advirtieron desde el primer momento. Además hay tantos intereses "superiores" de por medio. Si detrás de esto está la Policía, la tarea va a ser casi imposible, ellos saben hacer las cosas y tienen la tecnología y los recursos humanos para cubrir casi todos sus pasos.

Capítulo V

La mala hora de la Policía

Esa mañana Colombia estaba adolorida, 11 militares y un policía fueron asesinados en Guicán, Boyacá en un ataque de la guerrilla. El general Palomino llegó a tiempo a La FM, sobre las 7 de la mañana, venía con su traje de campaña. Cuando lo vi estaba hablando por teléfono, acababa de aparecer uno de sus hombres que logró salvarse de la masacre. Hablaba fuerte y daba órdenes. Me quité los audífonos y salí de la cabina a recibirlo.

Cuando colgó su celular le pedí que nos autorizara hablar al aire con ese policía sobreviviente. Me dijo que sí, pero se le veía distante y muy serio. Volvió a llamar y advirtió que el uniformado debía ser muy prudente con los medios de comunicación. Hicimos la entrevista, muy dolorosa e impactante sobre cómo fue el ataque. El patrullero Angerson José Tonguino le contó al país que los guerrilleros los sorprendieron con tatucos y prácticamente no alcanzaron a reaccionar al feroz ataque. Dijo que algunos uniformados murieron inmediatamente a causa de las explosiones. Él se salvó, porque en un acto de supervivencia se echó a rodar por un cerro y se escondió entre los matorrales, al lado de un río, mientras escuchaba el traqueteo de los fusiles, los estallidos de los tatucos y los gritos de sus compañeros que eran asesinados.

El general Palomino ya estaba sentado y acondicionado para responder por la denuncia que haríamos en segundos los periodistas de la mesa de trabajo. Nos hizo señas para que termináramos la entrevista con el policía sobreviviente, se veía inquieto y algo molesto. Su incomodidad era evidente.

Despedimos al invitado y mandamos a comerciales. El director de la Policía tenía en sus manos un pocillo de café caliente que le duró poco y un vaso de agua que se llevaba a la boca cada vez que se veía en dificultades para responder.

Había llegado el momento para todos, para el general, para los oficiales implicados en la grabación, para el denunciante y para los oyentes del noticiero, quienes empezarían a ser testigos del destape de graves irregularidades en la Policía y en las que el director de la institución estaba seriamente cuestionado.

Comenzamos con la grabación al aire que posiblemente comprometía al general y a otros oficiales en la presión y amenazas a un denunciante para que cambiara su reclamo de acoso sexual y dejara fuera del escándalo a Palomino. La conversación había sido grabada clandestinamente por el coronel Reinaldo Gómez. Era llamativo que tres oficiales de tanto recorrido, con técnicas en inteligencia, no hubiesen tomado medidas de seguridad para evitar este tipo de espionaje cuando iban a hacer algo tan delicado con un uniformado también de trayectoria. Quizás lo habían hecho otras veces y por eso estaban tan confiados. Nunca contaron con la astucia y los alcances del coronel Gómez.

Los audios empezaron a rodar, en ellos participaban tres altos oficiales de la Policía, pertenecientes al primer círculo de poder en torno al general Palomino: el coronel Ciro Carvajal, secretario general de la policía, el coronel Flavio Mesa, comandante de la Policía Cundinamarca y el entonces mayor John Quintero de la misma oficina de Carvajal. El cuarto hombre que aparecía en la grabación era el coronel Reinaldo Gómez, quien había sido citado a la reunión para que cambiara su denuncia contra Palomino.

Había otro documento aparte de la grabación. Una carta del 5 de mayo de 2015, en la que el coronel Gómez le decía al director de la institución:

> *"Le solicito muy respetuosamente que tenga el criterio y el profesionalismo que deben darle su grado y cargo dentro de la institución y desligue su condición personal y sentimental, frente a lo laboral en lo que respecta a mí, donde observo que hay dos circunstancias del pasado cuando yo tenía el grado de teniente que no ha podido usted superar y que lo mortifican.*
>
> *La primera es el hecho de que yo denuncié a su gran amigo y confidente mi coronel Norman León Arango Franco, el cual no fue el policía más ejemplar que haya tenido la institución. Y como segunda, el hecho de que yo no le haya aceptado a usted sus pretensiones amorosas y sexuales hacia mí, como se lo expresé esa vez a usted en la remonta de la escuela de Policía Rafael Núñez, después de que usted y mi coronel Arango, me hicieron ese bautizo de carabineros y le dije a usted en privado en mi oficina "mi coronel a mí solo me gustan las mujeres" y veo que el hecho de haberle dado a conocer muy respetuosamente mis gustos sexuales, fue tomado por ustedes como un desplante.*
>
> *Situación que me ha causado un lastre y karma institucional, que realmente ya no estoy dispuesto más a aguantar y de no cesar su persecución, me voy a ver obligado a hacer público y que se enteren que a usted le gusta de vez en cuando tener una aventurita, "usted me entiende". Si tiene algo de profesionalismo, le solicito que remita este expediente a la Procuraduría General de la Nación donde considero y tengo fe de que fallen en derecho y no por pasiones sentimentales; ya que en la inspección general solo están cumpliendo las órdenes impartidas por usted, de sancionarme tal y como me lo expresó uno de los funcionarios de la inspección que tuvo acceso al expediente, el cual me comentó que realmente no veía una verdad procesal que*

evidenciaría mi responsabilidad sobre los hechos que me están imputando, tal y como lo quieren hacer ver de una manera irregular".

Ante la explosiva carta, el general Palomino decidió que sus policías de mayor confianza se reunieran con el coronel Gómez, una decisión por lo menos irregular. El oficial debió remitir el caso a la oficina correspondiente de investigaciones internas en la institución y darle traslado a Procuraduría y Fiscalía. Es más, si la denuncia era mentira, un chantaje o un montaje, lo que correspondía era hacer las denuncias penales respectivas contra Gómez.

Lo cierto es que la reunión que ordenó el director de la Policía entre sus subalternos y su denunciante terminó en presiones y amenazas.

Palomino y Gómez se conocieron por su carrera en la institución en Sucre cuando el primero era comandante del departamento y Gómez era teniente en carabineros. La denuncia penal y disciplinaria contra el coronel por haber señalado a Palomino de hechos irregulares 17 años antes solo llegó después de las revelaciones de los periodistas de La FM.

Antes de dar a conocer las grabaciones habíamos tenido una extensa entrevista pregrabada que publicamos ese 27 de octubre en la mesa de trabajo y en la que habíamos indagado al coronel Reinaldo Gómez sobre sus denuncias contra el jefe de la Policía y por supuesto sobre la reunión en la que lo habían amenazado y presionado.

Gómez aseguró que los hechos que revelaba habían ocurrido entre 1998 y 1999.

"Ya hace unos años cuando yo era teniente y él era teniente coronel, pues en un momento donde se realizaba un bautizo de carabineros... él ingresó a la remonta de allá de la escuela de Corozal y pues me hizo saber sus intenciones de que yo le gustaba y que quería tener algo conmigo... yo pues muy diplomáticamente le dije a él que no me gustaban los hombres sino las mujeres y creo que ahí quedó como ese desamor".

La historia sonaba absurda y con tintes de retaliación; Gómez tenía abierta una investigación por haber entrado en desacuerdos con el alcalde de Zipaquirá y sobre los cuales había dado una entrevista en la radio sin pedir autorización de sus superiores. El coronel tenía información que lo iban a destituir injustamente y por su puesto tendría que irse de la Policía.

¿Sería por eso que había "inventado" la historia del acoso? En todo caso, la actuación de Palomino frente a las denuncias y la grabación dejaban muy mal parado al director de la institución y lo enredaban dándole peso a las denuncias del coronel Gómez.

El denunciante insistía en su relato, aunque reconocía que no tenía pruebas del supuesto acoso de Palomino en sus épocas de comandante en Sucre, cuando era teniente coronel.

> *"Se realizó una actividad de carabineros, donde normalmente en la policía se hacen esos bautizos de carabineros. Yo ingresé a la parte administrativa de la remonta, me estaba cambiando y pues llegó, en esa época, el teniente coronel Palomino y me hizo esas insinuaciones... el hombre tenía sus traguitos en la cabeza... yo sé que eso suena algo traído de los pelos, pero de todas formas fue algo que sucedió y que finalmente en estos días me tocó sacar un documento pues recordándole eso al señor director de la Policía".*

Era claro que Gómez tenía otra cuenta pendiente con el general Palomino de años atrás, había hecho algunas denuncias contra el coronel Norman León Arango Franco, quien fue su comandante en carabineros y quien era amigo muy cercano de Palomino. Ambos, reconocen el incidente.

En justicia, en el testimonio de Gómez no quedaba claro por qué no denunció a Palomino si en realidad lo había acosado, su explicación sonaba dentro de la lógica.

> *"En esa época yo era teniente y de todas formas era la palabra de un teniente contra la de un teniente coronel y pues era algo, como dice usted, traído de los cabellos. Hoy en día ya hago el escrito que hice es porque*

ya tiene uno algo de madurez en la vida y pues de todas formas no es como tan temeroso".

Después de la carta, el coronel Gómez fue llamado por el coronel Flavio Mesa para asistir a la reunión que terminó en presiones para que cambiara su testimonio contra Palomino. Aunque el denunciante se comprometió con los oficiales a radicar un documento retractándose, él nos aseguró que lo hizo para que lo absolvieran y que finalmente nunca radicó la carta que le pidieron. Sin embargo, existe un documento en ese sentido y la Fiscalía deberá determinar si le suplantaron la firma o si es real.

"Me llamaron a una reunión privada donde entran a interceder por mi general y me dicen hombre que esa carta donde se haga pública... Entonces me llaman allá a decir que por favor me retracte de ese documento, que eso puede generarle situaciones institucionales".

Insisto, las grabaciones que nos había entregado el coronel eran indiscutibles. Lo que aparecía en ellas era real, verídico e irregular. Él nos argumentó que grabó para tener una prueba.

"Sí, claro, en este complot que me hacen a mí doña Vicky pues me tocó recurrir a grabaciones porque sería la palabra mía contra la de los demás... No estoy diciendo ninguna mentira y tan es así que yo creo que si fuera una mentira hubieran iniciado una acción disciplinaria o penal, no sé entonces por qué me llaman a concertar de forma clandestina".

El coronel Reinaldo Gómez fue absuelto (como le prometieron los oficiales que lo presionaron si cambiaba su denuncia contra Palomino) de las investigaciones en su contra que cursaban en la Policía. Finalmente en medio del escándalo el oficial pidió el retiro de la institución, hoy está por fuera de la Policía y dando esta batalla jurídica, después de atreverse a denunciar a sus superiores.

Pocos días después de que la carta del coronel Gómez llegara al despacho del general Palomino ocurrió la mencionada reunión que se realizó en la secretaría general de la institución, a muy pocos metros de la oficina del director de la Policía Nacional.

Estaban allí, Carvajal, Mesa, Quintero y Gómez. Insisto, estos hombres curtidos en el manejo policial, con la malicia entrenada y con la preparación para hacer cumplir la ley, no se percataron de que en su chaqueta el coronel Gómez llevaba una pequeña grabadora que recogió los detalles de la convulsionada conversación de un poco más de dos horas.

El oficial que grabó el encuentro logró pasar el aparato por todos los filtros de seguridad, incluso por las máquinas de detectores de metales. Nadie le descubrió la grabadora.

El audio es contundente. La reunión empezó con una misión clara: había orden de revisar el caso del coronel Reinaldo Gómez, contra quien pesaba una investigación en la institución y sobre la cual Gómez decía tener información que todo apuntaba a que lo iban a destituir injustamente:

> **Coronel Flavio Mesa:** *"La orden de mi general Palomino después de que hablamos el día lunes era que secretaría general que es una cosa excepcional, revisara ese caso".*

Los oficiales le explicaron al coronel Gómez qué papeles debía adjuntar al proceso para ser absuelto, le aseguraron que si seguía los pasos que le indicaban sería declarado inocente. Solo unos minutos después, el tema se centró en las denuncias que el coronel había hecho contra el general Palomino por supuesto acoso sexual.

> **Coronel Ciro Carvajal:** *"Nosotros estamos hablando jurídicamente, las cosas se deshacen como se hacen, usted quiere la tranquilidad de que su caso es revisado, se le está diciendo como encause las pruebas y ese expediente tramitará por acá, cierto, pero la cosas se hacen como se deshacen".*

Coronel Flavio Mesa: *"Ese documento que usted hizo es un documento que de alguna manera fue desafortunado para usted y para todo el mundo, ahora hay que mirar cómo deshacer esa guevonada".*

Coronel Reinaldo Gómez: *"Yo le doy mi palabra mi coronel, yo soy un varón, yo le estoy diciendo la verdad, pero que yo vaya a reversar por escrito, no. Yo le doy mi palabra y mi palabra vale, acá el tema es de confianza y si le estoy diciendo eso, es porque lo que yo escribí es cierto; yo ni le estoy inventando, ni le estoy poniendo, sería muy temerario decir una cosa que no es".*

Coronel Ciro Carvajal: *"…Para ser más directos, yo me pongo en la posición del director, yo no he hablado esas cosas con él, pero obviamente un documento de esa naturaleza no puede quedar ahí…".*

Las recriminaciones al coronel Gómez se hicieron más intensas, mientras los oficiales lo presionaban a que se retractara e hiciera otro documento diciendo que estaba desesperado y que había acusado al general Palomino mentirosamente para que revisara su caso. El coronel Gómez por su parte insistía en que no se retractaría.

Coronel Reinaldo Gómez: *"No, no mi coronel perdone que le diga, pero no, porque sería una falsa aseveración y yo no me puedo retractar de lo que es cierto".*

Mayor John Quintero: *"Nosotros le estamos diciendo qué debe hacer. Estamos metidos nosotros en un verraco lío por usted".*

Coronel Reinaldo Gómez: *"Mi coronel con todo respeto y se lo juro y mi palabra de carabinero vale, créame que no voy a molestar más a mi general, pero entiéndame que si me retracto eso tiene para mi unas implicaciones legales, así no me solucionen esto… ".*

Coronel Flavio Mesa: *"Reinaldo, esta reunión es una reunión absolutamente, cómo le podría decir, ¡¡¡sui generis!!!".*

Mayor John Quintero: *"Inusual".*

Era, según juristas consultados por La FM, una reunión ilegal, improcedente y delictiva. Incluso en medio de la reunión le dictan la nueva carta que debía radicar el denunciante para retractarse de sus acusaciones contra el general Palomino.

Mayor John Quintero: *"De manera respetuosa me permito solicitar a mi general que de acuerdo al documento radicado tal día, hacer las siguientes peticiones: tengo plena confianza en la realización de los procesos institucionales, solicito gentilmente que se revise mi caso y ojalá de manera imparcial... De acuerdo con la información contenida en el documento relacionado me permito decir que pues se trata simplemente de una intención de ser escuchado por el mando institucional para que se revisara mi caso".*

Coronel Flavio Mesa: *"... Yo no sé si se haga un documento en el que diga, no sé mi general fue en un momento de desespero... ya hay una trazabilidad del documento... usted no va a volver a decir nada y eso se lo creo... pero otro lo puede sacar y generar un debate, un debate que no le sirve a usted no solamente al director, a usted...".*

Coronel Ciro Carvajal: *"... genera un debate que para su mismo futuro no le sirve y ese mismo debate se puede generar incluso después de que mi general se vaya que seguramente se va primero que usted... Entonces dejar la trazabilidad de un documento a la deriva que genera debate y que finalmente digamos no tiene trascendencia porque hablamos claramente usted dice que es cierto, pero el otro dice no es cierto y ninguno de los dos lo puede probar... Sí, eso es así, la única manera de matarlo es generando otro documento en ese otro documento no quiere decir renuncia a la verdad que usted maneja sino que usted se protege usted mismo y protege a la institución".*

Luego le hacen un recuento a Gómez de todos los coroneles que se han ido de la institución siendo brillantes y lo amenazan diciéndole que a su familia le sirve más activo que retirado.

Coronel Flavio Mesa: *"... Usted tiene una responsabilidad con una familia con una esposa con sus hijos, con las aspiraciones de 2 muchachos... también una cosa es coronel activo... le cuento que usted se quita esta mierda y ya lo miran de otra manera... porque una cosa es usted activo y así me abren las puertas, porque yo tengo esto pero mañana cuando ya que no lo tenga la cosa va a hacer complicada porque ya no voy a poder favorecer a mis hijos... usted tiene responsabilidad con su familia con su esposa con sus hijos... cuál es su responsabilidad luchar para ser general sí así dice el manual... le garantiza que va a tener una pensión para toda la vida... que tal me muera mañana pasado mañana..."*.

El coronel Flavio Mesa va más allá y deja claro que habló con la esposa del coronel Reinaldo Gómez para que ella misma lo hiciera entrar en "conciencia" al denunciar a Palomino.

Coronel Flavio Mesa: *"Los problemas se afrontan con la cabeza fría no con la cabeza caliente. ¡Es muy hijueputa! pero eso pasa...y creo que su esposa le dijo eso, que yo le dije a ella ¡cálmelo! que no se ponga a decir nada..."*.

Según la versión del coronel Gómez él les hace creer que sí radicará el documento para que lo absuelvan, pero asegura que nunca lo hizo, aunque aparece una carta en el proceso como la que le pidieron al alto oficial.

Coronel Ciro Carvajal: *"... Porque la mejor manera de protegerlo a usted, vuelvo a retomar, estamos prácticamente acordando el fallo favorable para usted en segunda instancia..."*.

Coronel Flavio Mesa: *"Piénselo con la almohada, al primero que se beneficia es a usted, piénselo, analícelo bien..."*.

Coronel Reinaldo Gómez: *"Yo lo hago mi coronel, le voy a decir sinceramente por el grado de amistad y segundo, venga le digo mi coronel lo sabe, en este momento estoy ad portas de irme de la Policía"*.

Coronel Flavio Mesa: *"Lo que pasa es que tiene que ser tan bien manejado que no sea tan evidente".*

Y sobre los futuros ascensos del coronel Reinaldo Gómez en la Policía...

Coronel Flavio Mesa: *"... En una selección donde sabemos que hay amores y odios pueden pasar cosas. Cuántas veces el de mejor trayectoria es el primero que se queda... a mí me queda todo clarísimo eso es un reality... cuántos coroneles que han sido, hijueputa, y han sido los primeros que les vuelan la cabeza... ¿Ciro, usted cuántas historias tiene?".*

Coronel Ciro Carvajal y el mayor John Quintero: *"Estaba pensando en Norberto Peláez, excompañero de Arango, mi coronel Maldonado, Maldonado es histórico, Acuña, mi coronel Galvis Galvis, semejante eminencia, tipos que uno dice hijueputa son brillantes".*

Mayor John Quintero: *"Pero bueno mi coronel eso es parte del pasado... (Risas al unísono)".*

Coronel Flavio Mesa: *"No es parte del pasado John, sigue pasando... sigue pasando".*

Era claro que los oficiales querían que Gómez entendiera que su futuro en la institución estaba en manos de ellos y que si hacía lo que le indicaban, le iría bien. Los oficiales tampoco son prudentes frente al coronel denunciante cuando expresan sus opiniones sobre los ascensos de los generales en la institución.

Coronel Flavio Mesa: *"Por eso le digo que es un tema loco, es un tema mafioso, es un tema amañado, como más se podría decir".*

La grabación termina después de dos horas, mientras hablan despectivamente contra la entonces subdirectora de la institución, la general Luz Marina Bustos.

Coronel Flavio Mesa: *"¡Pero con esa general…!".*

Coronel Reinaldo Gómez: *"¿Ella es casada?".*

Coronel Flavio Mesa: *"Sí".*

Coronel Reinaldo Gómez: *"¡Aaahh! pensé que era por ahí soltera y yo dije seguramente es que necesita a alguien que le haga el favor".*

Todos: *"Se lo conseguimos jajajajaja".*

Coronel Flavio Mesa: *"Se le tiene, le buscamos el perfil…".*

En la cabina de La FM pasaban los minutos y el general Palomino escuchaba cada frase de la grabación, tratando de mantener la calma. Se movía en la silla inquieto, no sabía qué hacer con las manos, cómo acomodar su cuerpo y esquivaba las miradas clavando sus ojos en la mesa.

Empezamos a confrontarlo ante la explosiva grabación. En ese momento se puso en guardia, mientras miraba fijamente al frente, eludiendo nuestras miradas[5].

LA FM: "General esta gente, que aparece en las grabaciones, lleva mucho tiempo en la Policía ¿Llevan mucho tiempo en ese cargo?".

GP: *"Sí el coronel Ciro Carvajal lleva un poco más de cinco años, pensaría yo, como secretario general. De una conducta debo decir absolutamente pulcra, incuestionable y precisamente yo quiero antes que hacer cualquier apreciación agradecer Vicky el que usted me haya dejado primero conocer esa grabación…".*

LA FM: "¿General usted los mandó a hacer esa reunión?".

GP: *"Cuando llega ese escrito pues necesariamente lo que le indico a las unidades de la secretaria general, a la asesoría jurídica, es que*

5. 27 de octubre de 2015, entrevista al general Rodolfo Palomino, mesa de trabajo del Noticiero de La FM de RCN Radio (directora a la fecha, Vicky Dávila).

ese escrito, que es un escrito difamatorio, hay que darle un trámite en dos sentidos: un trámite penal y uno disciplinario... Consideran los asesores jurídicos que esa investigación no conduciría a nada y que podría más bien tratarse de escuchar qué es lo que estaría motivando a esta persona para realizar este escrito".

LA FM: "¿Esa reunión era conducente?".

GP: *"No era conducente..."*.

LA FM: "¿No se podía realizar?".

GP: *"Digamos que no es que no se podía, sino que no era prudente realizarla"*.

El general Palomino no esperaba que reveláramos la carta del coronel Gómez. Cuando empezamos a leerla al aire su incomodidad fue más evidente, se molestó, respiraba más fuerte, pasaba saliva, tomaba agua y por momentos clavaba los ojos en el techo. La grabación y la carta eran elementos difíciles e incómodos de explicar.

Nunca lo cuestionamos por sus preferencias sexuales, para el equipo y para mí, era claro que eso hacía parte de su intimidad y eso lo debíamos respetar al extremo, sobre eso no tenía que darnos ni una sola explicación, por eso nos centramos en lo verdaderamente importante, la denuncia que hacía parte de su vida pública: el presunto acoso sexual a un subalterno, la manera irregular cómo se venía manejando ese caso, las presiones y amenazas al testigo para que cambiara su versión a favor del director general de la Policía Nacional.

GP: *"Esos hechos allí señalados jamás ocurrieron. Yo nunca tuve durante mi mando directo a ese teniente"*.

LA FM: "Lo que sí es claro es que la grabación es genuina. Están el coronel Ciro, el coronel Mesa, el mayor Quintero y el coronel Reinaldo Gómez. ¿Son ellos?".

GP: *"No, no, desde luego. La reunión se hizo y quienes participaron jamás lo niegan, no niegan que lo dicho no haya estado señalado. Por eso es y tratándose, como también lo señalan ahí, una reunión excepcional, sui géneris e indebida, es que he pedido como lo he solicitado por escrito a la Procuraduría que investigue".*

El director de la Policía no lograba explicar por qué no hubo una denuncia penal y disciplinaria contra el coronel Gómez, si todo lo que decía era falso. Tampoco era contundente al cuestionar las amenazas contra el denunciante por parte de oficiales muy allegados a él. Más aún, era difícil de creer que no conocía los términos de la reunión. Creo que su sorpresa era la existencia de la grabación y que nosotros la tuviéramos para publicarla.

LA FM: "¿General todo en la Policía Nacional se maneja así, en las investigaciones internas?".

GP: *"Mire Vicky no y debo decirle una cosa, esa es la razón por la cual, reitero, desde el primer momento en que usted me deja conocer la existencia de esa grabación y con ella enterarme de la reunión y de los términos en los que la misma se efectuó. Es por eso que de inmediato envío a la Procuraduría General de la Nación, hablo con el señor Procurador y le digo: por favor yo le pido de manera muy especial se le dé prioridad a esta investigación. Precisamente porque ahí es evidente que hay una acción indebida".*

LA FM: "¡Hay presiones...!".

GP: *"Hay una acción indebida y desde luego, ahí le están indicando —de acuerdo a lo que he podido escuchar—, que debe cambiar y no era necesario, pero absolutamente para nada. ¿Para qué presionar a alguien a que diga lo contrario a lo que está escribiendo? Cada quien debemos ser responsables de lo que digamos, de lo que escribamos y de lo que actuemos".*

LA FM: "General, ¿cómo llegan estos oficiales a esos cargos tan importantes? ¿Quién los nombra?".

GP: *"Bueno, son cargos nombrados desde luego por el director general, y son cargos a los que se llega sobre la base del conocimiento, sobre la base de la experiencia, sobre la base del manejo del escenario jurídico".*

LA FM: "¿Ya los separó del cargo, general?".

GP: *"Ellos están todavía en el cargo".*

LA FM: "¿Y no los debe separar? Digo, si empiezan unas investigaciones y estas grabaciones son tan comprometedoras, no deberían estar manejando otros procesos. Deberían primero responder en su investigación".

GP: *"Estoy a la espera de lo que la Procuraduría nos pueda indicar".*

LA FM: "¿Ellos qué le dijeron cuando usted les mostró la grabación? ¿Cómo le explican todas esas cosas que dijeron ahí, todas esas presiones?".

GP: *"Ah no, ellos admiten que fue un error".*

LA FM: "Y que fueron ellos...".

GP: *"Claro que sí, que fueron ellos y están como lo han señalado, dispuestos a asumir las consecuencias de su error, eso es clarísimo".*

LA FM: "General, es que aquí hay como una especie de chantaje. (Ellos le piden al denunciante que cambie su versión y le ayudan en una investigación que él tiene). Usted cambia la versión donde dice que el general Palomino le pidió favores sexuales y entonces nosotros —como esto es una investigación insulsa— sencillamente usted va a quedar absuelto...".

GP: *"Ya serán los oficiales quienes tengan que estar respondiendo ante la Procuraduría, qué los motivo y por qué hicieron estas orientaciones, repito, a todas luces indebidas, inadecuadas".*

LA FM: "Ahí le tengo que preguntar general Palomino por qué ahí dice el coronel Ciro que usted les pidió que oyeran a este coronel que hacía la denuncia, que mandaba la carta a su despacho diciendo que usted le había pedido favores sexuales...".

GP: *"Vicky, escúcheme una cosa, le digo al coronel Ciro Mesa, escuche a ese tipo, ¿qué es lo que le pasa? ¿Qué sucede? ¿Por qué hace una cosa de estas?, lo que él me señala que es porque está queriendo presionar la práctica o el otorgamiento de unas pruebas que ya en un momento determinado, en primera instancia, le fueron negadas. Y sí le digo, escúchelo a ver qué necesita. El escuchar a alguien no significa ni tiene que ir implícito el ir a hacer ningún tipo de concesiones ni mucho menos ningún tipo de asesoría indebida".*

LA FM: "¿Usted todavía les tiene confianza a estos oficiales, a pesar de esta grabación?".

GP: *"Mire Vicky, desde luego que la confianza se deteriora, inobjetablemente. Es inaceptable lo que ha ocurrido. Ese tipo de asesoría no es la que hay que dar, ni la que se espera se dé".*

LA FM: "¿General frente a los coroneles Ciro Carvajal y Flavio Mesa ellos van a ser evaluados en diciembre para ascenso a generales?".

GP: *"Van a ser evaluados".*

Aunque lo cuestionábamos repetidamente por la permanencia de esos oficiales en el cargo, por seguir ahí a pesar de lo que hicieron, Palomino se mantenía en la intención de dejarlos, su respaldo era más que evidente, a tal punto que afirmaba cosas que no eran, como asegurar que al denunciante le habían garantizado el debido proceso, cuando los propios investigadores lo amenazaban para que cambiara su versión.

LA FM: "Usted es el que toma la decisión y usted conoce la historia hace diez días, nosotros le entregamos a usted la grabación...".

GP: *"Pero mire Vicky, acá hay un hecho que no puede uno bajo ninguna circunstancia desconocer. A la persona que está presentando estos escritos se le ha querido garantizar el debido proceso".*

LA FM: "¿Pero cómo va a decir eso? Si estamos oyendo unas grabaciones donde evidentemente no tuvo el debido proceso".

GP: *"Espere un momento, por esa circunstancia y frente a estos nuevos hechos es que se ha pedido a la Procuraduría adelantar una investigación".*

LA FM: "General, pero usted puede tomar unas decisiones antes de que la Procuraduría decida, usted puede tomar decisiones inmediatas y es mínimamente separarlos del cargo".

GP: *"Le digo una cosa, aquí hay apartes que en este momento estoy escuchando que yo no había escuchado. Seguramente esos nuevos apartes tendré yo en ellos nuevos elementos para tomar la decisión que debo tomar".*

LA FM: "Pero estos apartes están en la grabación completa que le entregamos general…".

GP: *"Debo decirle en honor a la verdad que íntegra yo no la he escuchado".*

LA FM: "General, al coronel Reinaldo Gómez lo absuelven después de todo este horror que hemos oído esta mañana en las grabaciones".

GP: *"Si se da esa absolución, se da porque en derecho disciplinario no habría fundamento para sancionarlo. Segundo, si ese documento que él pasa luego en donde teóricamente se retracta y si el mismo no es real como usted me lo hizo conocer hace diez días, pues es por eso que tiene la Procuraduría otro motivo para investigar si se trata de una falsificación o una adulteración de un documento, que en este caso sería un documento público, entonces estaríamos ad portas de poder develar si se trata de un hecho delictivo".*

LA FM: "¿Usted es padrino del mayor Quintero? ¿Son compadres?".

GP: *"Yo, padrino de matrimonio, sí señora. Lo conocí hace 15, 16 años. Sí claro, somos paisanos".*

LA FM: "General Palomino hay otro oficio que él radica donde dice que usted lo ha amenazado de muerte y a ese oficio sí le dieron trámite; no le dan el trámite al primero donde lo señala supuestamente de haberle pedido favores sexuales y que ahora se están vengando de él, pero sí le dan trámite a este…".

GP: *"A nadie se le puede ocurrir que el director de la Policía vaya a estar amenazando a una persona a la que, como usted misma acaba de señalar hace unos minutos, han terminado en absolver en una investigación, supuestamente habiéndole hecho un favor. Se han reunido, supuestamente para acordar exonerarlo, lo exoneran y después termina señalando que está amenazado de muerte. Eso no se le ocurre a nadie sensato".*

A estas alturas de la entrevista, el general Palomino sin mirar su reloj nos dijo que su tiempo había terminado. Se levantó, puso los audífonos sobre la mesa y antes de partir, de frente, defendió a los uniformados que presionaron y amenazaron al denunciante y con rabia nos acusó de prestarnos para un juego turbio.

"Ustedes están sirviendo de caja de resonancia de un tipo que quiere acabar con la carrera de unos oficiales brillantes. Defendía a los oficiales Carvajal, Mesa y Quintero".

Esa grave acusación no la podía dejar pasar, no la podía tolerar. Me parecía el camino más injusto y fácil, para darle un giro a todo. Buscaba culpar a los periodistas que hacíamos las denuncias y no a los verdaderos culpables de las irregularidades. Además, le habíamos dado, como corresponde, al general y a sus subalternos todas las garantías periodísticas del caso. Les informamos con tiempo y les abrimos el micrófono sin limitaciones para que dieran su versión de los hechos.

"General —le dije—, ninguna caja de resonancia, nosotros somos periodistas y estamos haciendo lo que nos toca".

"Ellos —ripostó— merecen un debido proceso".

"Me sorprende que usted defienda el debido proceso para unos oficiales que no respetaron el de un denunciante que ciertamente lo señalaba a usted general. Yo he sido bastante considerada con usted...".

Era más que evidente, el general Palomino estaba defendiendo a los oficiales que amenazaron e intimidaron al coronel Gómez. Al fin y al cabo esos tres uniformados se la habían jugado a fondo por su director.

Muchas dudas dejó la forma de actuar del general Palomino: tuvo 10 días la grabación en sus manos, después de que se la entregamos; sus oficiales reconocieron que ellos participaron en la reunión con el denunciante; ante la gravedad de los hechos el director de la Policía envió la prueba al Ministerio Público y a pesar de todo, mantuvo a los oficiales en su cargo, los defendió y los protegió. La defensa de Palomino dejaba más dudas que respuestas.

El director de la Policía se fue y el programa siguió adelante. Repetimos uno a uno los audios de aquella reunión entre policías. Cuando estábamos en el análisis de lo que estaba pasando, mi teléfono timbró. Me sorprendió, era el general Palomino.

"Vicky el coronel Carvajal acaba de pedir el retiro del cargo". Me comprometí a decirlo al aire de manera inmediata. Era una noticia importante en medio de todo este escándalo. Más allá de la renuncia, lo que me parecía insólito en ese momento era que los implicados se fueran por su propia voluntad y no por una determinación institucional del director ante la gravedad de los hechos.

A las 3 de la tarde de ese día los otros dos oficiales implicados, fueron relevados de sus cargos. Y después de varios meses con la carta del coronel Reinaldo Gómez en su escritorio, el general Rodolfo Palomino anunció en rueda de prensa que denunciaría al coronel por injuria y calumnia, por asegurar que el oficial lo acosó sexualmente. Nuestras denuncias habían obligado al director de la Policía a darle un manejo correcto a unos hechos que hasta el momento había manejado irregularmente.

Capítulo VI

"Los caballeros de la noche"

El general Palomino ha reconocido por diferentes medios, entrevistas y comunicados, que su patrimonio económico ha crecido gracias a generosos y curiosos descuentos y al apoyo de un empresario del transporte. Esos descuentos, al cruzar los hechos y las fechas, son proporcionalmente directos al poder que durante años tuvo en la Policía. Desde su regreso de México hasta su cargo de director de la institución, pasando por la dirección de tránsito.

Desde el momento en que hicimos la primera denuncia, decenas de policías se llenaron de valor para contar más hechos, todos relacionados con asuntos de corrupción.

En una de esas llamadas recibimos más información sobre el general Palomino, esta vez sobre su patrimonio y sus bienes. Aparentemente tenía un costoso lote en un lujoso condominio a las afueras de Bogotá y supuestamente el predio había sido un regalo del coronel Flavio Mesa, en ese momento, envuelto en el escándalo por presionar a un coronel para que cambiara su denuncia de acoso sexual.

La denuncia nos pareció sólida por la cantidad de datos que suministró la fuente. Como corresponde al ejercicio periodístico, uno de nuestros reporteros comenzó a verificarlos. Esa tarde confirmamos la existencia del predio; el periodista con su celular le hizo imágenes. Los vecinos del lugar afirmaron que la propiedad era del director de la Policía y la misma constructora reafirmó lo dicho.

Lo que no pudimos probar fue que el predio fuera un regalo del coronel Mesa a su jefe y amigo, el general Palomino. Pero sí eran vecinos en ese lugar. Mesa ya había construido su lujosa casa, mientras que el director de la Policía solo tenía el terreno.

Los habitantes de la zona fueron claros con el periodista que llegó al lugar, le contaron entre otras cosas, que desde que se hicieron propietarios los altos oficiales de esos predios, se acabaron en la zona las tomatas de cerveza y el juego de sapo hasta la madrugada, los lugareños empezaron a tener una hora límite para no causar molestias, ni hacer ruido.

El periodista Daniel Coronell también trabajaba sobre ese tema. Su columna: "Los Caballeros de la Noche", en la revista Semana del 6 de diciembre de 2015, fue el resultado de una serie de rastreos de datos sobre los bienes de los oficiales y en el caso de Palomino, la manera, por lo menos curiosa, de obtenerlos, con enormes descuentos.

El lote del coronel Mesa costó 615 millones de pesos, el del general Rodolfo Palomino, cuya compra fue realizada ocho meses después, costó 200 millones de pesos. ¿Cómo es posible que dos predios con características similares tengan precios tan distintos? El coronel Mesa pagó 415 millones de pesos más que el director de la Policía Nacional.

El general Palomino también había hecho negocios con otro oficial, esta vez con el coronel Jerson Jair Castellanos, el mismo al que varios uniformados señalaron desde el año 2006 en la Fiscalía General de la Nación de ser, presuntamente, la cabeza de la "Comunidad del Anillo".

El general Palomino le compró al coronel Castellanos dos lotes de 1000 metros cada uno en otro exclusivo condominio,

"El Pedregal de San Ángel", por solo 78 millones de pesos. La inversión, como en el cuento del Rey Midas, se convirtió en oro. Hoy su valor comercial es de por lo menos 1.200 millones de pesos y esto sin contar la casa que el director de la institución construyó en ese lugar, ubicado estratégicamente al lado de la Escuela Nacional de Policía de Fusagasugá.

Las denuncias periodísticas de Daniel Coronell y La FM desataron una tormenta. Solo unas horas después de su publicación en Semana, ese mismo domingo, el general Palomino tuvo que hacer público lo que parece ser el patrimonio que figura a su nombre.

Daniel había anunciado en su columna que al día siguiente La FM publicaría más información sobre los bienes del general. Sin duda, el alto oficial se quiso adelantar a nuestras revelaciones, seguramente para quitarles fuerza.

En su comunicado no solo no pudo negar lo que reveló Daniel Coronell, sino que además reconoció que cuando era el comandante Nacional de Tránsito, responsable de la seguridad y de que se cumplieran las normas en todas las carreteras del país, montó su negocio de transporte, es decir, su propia flota de tractomulas. Es como si un ministro de Defensa aprovechara su cargo para montar una empresa de seguridad privada.

El abultado patrimonio del general Palomino quedó al descubierto.

> Comunicado del director de la Policía Nacional:
>
> "Respecto a la columna del periodista Daniel Coronell, publicada por la revista Semana el domingo 6 de diciembre de 2015, en mi condición de director de la Policía Nacional y como ciudadano colombiano, me permito informar:
>
> *1. Durante mi vida institucional y exclusivamente con recursos propios, producto de 36 años de trabajo honesto y dedicado de servicio a la patria, he adquirido junto con mi esposa, algunos bienes que hacen parte del patrimonio familiar y están soportados*

legalmente en mi declaración de renta, la cual estoy dispuesto a hacer pública, de ser necesario.

2. En promesa de compraventa del 27 de octubre de 2006, protocolizada en escritura pública el 4 de abril de 2008, compré al señor Jerson Jair Castellanos, dos lotes de mil metros cada uno, por valor de $39.700.000 cada uno, en el conjunto Pedregal de San Ángel en Fusagasugá (Cundinamarca). En esa área construí una casa familiar con dineros provenientes del pago de cesantías.

3. Igualmente, con ahorros familiares, fue adquirido un lote de 3,047 metros, en una zona rural de Sopó (Cundinamarca), por valor de 200 millones de pesos. Consta en escritura pública de agosto de 2015.

4. Durante los últimos 6 años con mi familia, hemos venido efectuando un plan de ahorro e inversión con una empresa de transporte, mediante el aprovechamiento de tres cabezotes de tractomula que aún estoy pagando y no son de mi plena propiedad, pero cuyas utilidades han servido para aportar a la deuda y hacen parte de los recursos para la adquisición del lote en Sopó (Cundinamarca).

5. Otras propiedades registradas a mi nombre y al de mi señora esposa, son: un apartamento adjudicado por la Caja de Vivienda Militar en 1990, cuando ostentaba el grado de capitán, en la Urbanización Rafael Núñez segunda etapa en Bogotá, que está en formalización de venta; un lote rural en la vereda Pajonal, en Guayabal de Síquima (Cundinamarca) por 7 millones de pesos, adquirido en 1995; y mi casa de habitación ubicada en el sector de Niza Antigua en Bogotá, bien construido hace 46 años, comprado al finalizar mi comisión como agregado de policía en México, por un valor de 166 millones de pesos.

6. De todo lo anterior hay constancias, recibos y los comprobantes de ingresos, míos y de mi señora esposa, así como los soportes de las cesantías que me han sido canceladas. De esta manera, se evidencia que mi patrimonio no constituye una "descomunal riqueza o enriquecimiento" como se señaló en la mencionada publicación de prensa, sino que corresponde al manejo ordenado de las finanzas, que me ha permitido realizar inversiones para garantizar el futuro y la estabilidad de mi núcleo familiar, como lo haría cualquier colombiano trabajador, honesto y de bien.

7. Respecto a las denuncias de presuntas situaciones anómalas en el año 2006, en la Escuela de Cadetes Francisco de Paula Santander, espero al igual que la institución, las familias de los entonces cadetes y los colombianos, que la Fiscalía General avance con la mayor prontitud y rigurosidad, para saber la verdad y tener absoluta claridad de este asunto, supuestamente ocurrido mientras estuve como agregado de policía en México, y que vengo a conocer ahora que es expuesto en los medios de comunicación".

Slobodan Wilches, director periodístico de La FM, llamó al alto oficial ese domingo varias veces. Queríamos entrevistarlo al día siguiente sobre su patrimonio. En una de esas conversaciones el director de la Policía le dijo: "Les deseo el doble de lo que ustedes me desean a mí". Nuestro único deseo era establecer la verdad.

El general Palomino habló ese lunes en las emisoras más importantes. Fuimos los últimos, era evidente que no quería enfrentarse a las preguntas de los periodistas de La FM, quienes habíamos realizado la investigación sobre su patrimonio. Cuando lo tuvimos en línea, estaba llegando a una ceremonia militar.

La entrevista fue acalorada[6]. Al final el oficial colgó. Lo que nos dejó más sorprendidos fue que aceptó sin ningún reparo que en casi todas las compras de sus bienes obtuvo jugosos descuentos, que tal vez no hubiera obtenido si no hubiese sido quien era o no hubiese desempeñado los poderosos cargos que tuvo como alto oficial de la Policía.

LA FM: "Se adelanta usted a las investigaciones de La FM ayer cuando publica sus propiedades en un comunicado después de la columna de Daniel Coronell".

6. 7 de diciembre de 2015, entrevista al general Rodolfo Palomino, mesa de trabajo del Noticiero de La FM de RCN Radio (directora a la fecha, Vicky Dávila).

GP: *"Puedo decirle hoy a los colombianos que si bien es cierto, no he tenido la oportunidad jamás de estrenar un carro, nunca he comprado un carro nuevo, también debo decirle que me he visto —por muchas razones, pero especialmente por mi compromiso con los colombianos desde la Policía Nacional—, en la obligación de ir acumulando vacaciones, tengo más de 500 días de vacaciones no disfrutados. Pero también debo decirle que en los últimos 11 años las únicas vacaciones que tuve fueron días para acompañar la convalecencia extrema de mi esposa recién operada de cáncer. Y ella misma me decía ánimo porque si el cáncer no nos venció, no nos van a vencer ni calumnias, ni nos van a vencer ataques de nadie".*

LA FM: "Hablemos primero de la propiedad del conjunto "El Pedregal de San Ángel", justo al lado de la escuela de la Policía en Fusagasugá. Usted reconoce que compró cada lote por 39 millones 700 mil pesos. Usted dice que la promesa de compraventa la firmó el 27 de octubre del 2006 y le compra al coronel Jerson Jair Castellanos, el mismo que en ese momento, apenas hacía dos meses, había salido en un gran escándalo de la Policía Nacional por cuenta de las denuncias en su contra en la Fiscalía y en la misma institución por la llamada "Comunidad del Anillo". ¿Usted no sabía a quién le estaba comprando?".

GP: *"Debo decirle, mis dos comisiones cumplidas al exterior han sido en el grado de capitán, a España, y en el grado de coronel a México. Cuando llego de México, incluso estando allá me hacen varias llamadas y me hacen el ofrecimiento de unos lotes ahí en el Pedregal de San Ángel. Me llaman otros copropietarios que no son este señor. Y entonces cuando llego me dicen vea hay estos lotes que son una ganga, y en efecto lo eran. Sencillamente lo que pregunto es que este se acaba de retirar, en ese momento y lo que quería era deshacerse de los lotes. Por eso yo adquiero esos lotes, e incluso los pagué a plazos, eso fue lo que me dio a mí la oportunidad de ser propietario".*

LA FM: "Le decía que si usted sabía a quién le estaba comprando...".

GP: *"Le decía que yo le estaba comprando, en ese entonces, a un oficial de la Policía que se acababa de retirar, yo no sabía el motivo por el cual se estaba retirando. Con la debida reserva de orden investigativo, tanto la Procuraduría como la Fiscalía estarían adelantando las investigaciones. Yo, la verdad sea dicha, nunca estuve interesado en saber cuál fue el motivo por el que él se retiró o por qué lo retiraron. Simplemente él rápidamente me dijo yo no quiero saber nada de la Policía, lo único que quiero es vender estos lotes y aquí todos están de acuerdo en que ojalá el comprador sea usted".*

LA FM: "¿Pero a usted no le pareció muy raro que él no quisiera saber nada de la Policía? ¿Ahí no se inquietó usted, que es un hombre que se ha movido en el mundo policial?".

GP: *"Hay una cosa, hay personas que en el momento en que se quieren retirar literalmente dicen ya me voy de esto no quiero saber nada más. Vi una oportunidad, lamento mucho el que posteriormente se haya visto involucrado en este escándalo y lamento mucho que quieran unir esa circunstancia con la situación mía".*

LA FM: "¿Cuándo regresó usted, en qué mes...?".

GP: *"Yo regreso a finales del mes de julio si mal no estoy".*

LA FM: "Todavía estaba activo el coronel Castellanos, estaban en pleno escándalo, general créame que eso era vox populi...".

GP: *"Cuando a mí me ofrecen esos lotes esta persona ya se me identifica como retirado de la Policía y que no quería saber nada de eso, que quería era vender. Eso es lo que yo hago".*

LA FM: "Lo cierto es que resulta ser un muy buen negocio, porque usted los compra cada uno en 39 millones 700 mil pesos y hoy por las cotizaciones que hemos logrado averiguar, esos lotes valen entre 1.000 y 1.200 millones de pesos...".

GP: *"Yo le dije esta mañana a alguien, hombre si me los comprara se los vendo, pero feliz de venderlos, claro que sí".*

LA FM: "¿Y cuánto costó la casa que usted hizo ahí, la casa que usted dice en el comunicado que es una casa familiar?".

GP: *"Exactamente es una casa familiar cuyo costo no llegó a los 300 millones de pesos y debo decirle Vicky, que me siento feliz de poderle contar esto a los colombianos. No solamente el haber tenido la oportunidad que una empresa muy importante me diera unos descuentos igualmente muy importantes, sino que además las puertas que tiene esa casa las compré en unas demoliciones, a unos precios mucho más económicos que irlas a comprar a un sitio en donde vendan normalmente puertas".*

LA FM: "¿Y cuándo la construyó, en qué año?".

GP: *"Eso fueron varios años, yo puedo decir que casi fue un programa de autoconstrucción porque debo decirle, oportunidad que teníamos, tanto con mi esposa y mis hijos, nos pusimos a echar pala y pica y a echar mezcla".*

LA FM: "Pero el caso es que construyeron en unos lotes que sumados, costaban setenta y algo millones de pesos, una casa de 300 millones. Hoy debe valer muchísimo más".

GP: *"Bastante más, eso es cierto, claro que sí. Ahí no hay sino cariño, esfuerzo personal y familiar y si debo decirle conseguí unos precios muy importantes. Compré los ladrillos en las fábricas, el cemento me lo dieron más baratico".*

LA FM: "Pero general ¿cómo ha hecho usted toda la vida para que le den todo más barato, para conseguir gangas, para lograr esos negocios tan buenos que luego milagrosamente se vuelven en unos avalúos muy grandes?".

GP: *"Pidiéndole a Dios Vicky, no más".*

LA FM: "General, ¿hoy usted se arrepiente de haberle comprado a Jerson Jair Castellanos que, de paso sea dicho por los señalamientos que hay en su contra por la "Comunidad del Anillo", ha sido el primer oficial en retiro llamado a interrogatorio por la Fiscalía en estas investigaciones?".

GP: *"Le digo esto con absoluta franqueza, lamento mucho que él haya sido quien me los haya vendido, pero no me arrepiento de haber* *comprado esos lotes. Yo cómo voy a decir ahora que me arrepentí de haber adquirido un lote a un buen precio, por favor, no Vicky".*

LA FM: "¿Usted ha sido amigo de él, antes o después de este negocio?".

GP: *"Ninguna relación con él distinta al haber tenido este negocio con él. Ahora debo sí decirlo yo, a él lo conocí desde cuando era subteniente, claro que sí".*

LA FM: "General Palomino en una de las declaraciones que entrega el capitán Ányelo Palacios dice que Castellanos lo contactó para que tuviera una relación con usted ¿usted sabía de esto?".

GP: *"¿Qué lo contactó para que tuviera relación conmigo?".*

LA FM: "Sí, eso dice el señor Palacio...".

GP: *"No, no, no. Vicky mire por favor, yo sé que contra su servidor se han lanzado toda serie de improperios, que a su servidor le habrán escudriñado toda su actividad de orden profesional y personal y al encontrar una vida absolutamente limpia, transparente, han querido empañar lo más valioso que tiene el ser humano que es su dignidad y que es su honor. Vea Vicky yo tengo una familia".*

LA FM: "Entiendo. Hablemos de otra propiedad de los "Caballeros de la Noche" ¿Cómo logra usted obtener un lote en 200 millones de pesos, cuando ocho meses atrás el coronel Flavio Mesa —amigo suyo y quien aparece en las grabaciones reveladas por La FM noticias que muestran claramente presiones al coronel Reinaldo Gómez—, lo compró por 615 millones de pesos? ¿Cómo logra usted esa rebaja? ¿Otra ganga?".

GP: *"No todos los lotes son iguales ni en tamaño, ni en condición, ni en ubicación. Eso tiene sus diferencias y esas diferencias son como las balotas de un juego, si uno quisiera poner eso así, cada una tiene sus bondades y sus deficiencias, tiene sus virtudes y tiene sus falencias. Y su tamaño es distinto".*

LA FM: "Su tamaño es distinto, pero solo son mil metros menos, un poquito más".

GP: *"No, no lo sé".*

LA FM: "200 millones de pesos pagó usted por 3,047 metros. Pero resulta que el coronel Flavio Mesa pagó 615 millones por 4,783 metros. Digamos que no cuadra la proporción. Y cuando nosotros averiguamos, los lotes son mucho más costosos, son lotes de 500 y 600 millones de pesos".

GP: *"Pues realmente esa parte eso si hay que preguntarle es al que me lo vendió".*

LA FM: "¿Quién se lo vendió?".

GP: *"Me lo vende la persona propietaria de todo ese conjunto, Juan Pablo Ángel. Entonces, cómo es posible que si otros ya han podido construir su casa, como yo, no tengo derecho a comprar un lote, no".*

LA FM: "No general, claro que tiene todo el derecho, lo importante es que las cuentas estén claras...".

GP: *"Vicky le quiero pedir su comprensión, ya estamos próximos a iniciar la ceremonia".*

En ese momento nos faltaba preguntarle por otro de los temas sobre sus bienes, este también grave. ¿Por qué montó un negocio de transporte justo cuando lo nombraron en la Policía de tránsito? Aprovechamos la oportunidad y no lo dejamos que se fuera sin que diera las explicaciones del caso, en un hecho claramente indebido, indelicado, por decir menos.

¿Puede el director de Carreteras de la Policía hacer negocios con el transporte? ¿Eso no genera una incompatibilidad, un aprovechamiento o abuso del cargo para llenar sus arcas? ¿No es una ventaja muy grande con los demás ser el socio de una empresa de transporte?

La FM: "General, tengo que preguntarle por la empresa de transporte. Es que usted dice en su comunicado textualmente:

"Durante los últimos seis años con mi familia hemos venido efectuando un plan de ahorro e inversión con una empresa de transporte mediante el aprovechamiento de tres cabezotes de tractomula que aún estoy pagando y no son de mi plena propiedad. Pero cuyas utilidades han servido para aportar a la deuda y hacen parte de los recursos para la adquisición del lote de Sopó, Cundinamarca". General, usted dice que hace seis años, es decir esto corresponde a 2009, es decir, el mismo año en que usted fue nombrado director de la Policía de Carreteras. ¿General, la empresa la formó antes o después?".

GP: *"Perdóneme Vicky no soy empresario, no he creado ninguna empresa. Esa empresa ya existe y deme usted solo dos minutos para contarles a los colombianos cómo fue que yo ahorré e invertí en esa empresa. En el medio de los transportadores existe aquella figura que se llama 1, 2, 3, 4 ruedas, que es el carro completo. Una persona le dice a su hermano, a su primo, a su sobrino, lo llevó en una rueda de un carro que voy a comprar. ¿Qué significa? Que lo lleva en la cuarta parte de ese carro. Yo empecé así. Yo deposité 50 millones de pesos de unas cesantías y de la prima de Navidad, porque entre otras, déjeme contarle a los colombianos y no por eso es distraer la pregunta, hace 11 años no salgo de vacaciones. Pues esas primas de vacaciones yo las he invertido allí, las primas de Navidad, las he invertido allí. Nunca, ningún mes, me he gastado más de lo que he ganado. Entonces, qué es lo que hago, invierto allí y empiezo a capitalizar. Cada vez que he tenido la oportunidad, como consta en recibos, he ido haciendo abonos, anticipos de cesantías. Vea Vicky, hoy no tengo sino tres millones en cesantías, todas las he sacado y las he invertido, entonces déjeme decirle como dice la Biblia, el que trabaja no come paja. Entonces yo trabajo, yo no puedo estar condenado a ser un desposeído, un miserable. ¿Pues, entonces al ser general no puedo invertir? No, un momentico, yo tengo el legítimo derecho y especialmente la obligación de ser responsable con mi patrimonio y pensar en el futuro de mi familia".*

LA FM: "¿Cuándo formó la empresa antes o después de ser comandante de tránsito?".

GP: *"No es que yo no fundé ninguna empresa por Dios, yo lo único que hago…".*

LA FM: "¿Entonces cuándo compra las tractomulas antes o después…?".

GP: *"Los cabezotes los termino adquiriendo en el año 2013, antes lo que estuve haciendo fue un ahorro, una inversión".*

LA FM: "General, ayúdeme por favor a identificar claramente lo que le estoy preguntando ¿cuándo llegan a su manos estas tres tractomulas, en qué año?".

GP: *"Debo decirle que nunca han llegado a mis manos porque siempre han estado allí en esa empresa, en donde están arrendadas, esa empresa no es mía".*

LA FM: "Por eso ¿cuándo empieza esa empresa, cuándo empieza a funcionar?".

GP: *"Eso empieza desde hace cinco años, cinco, seis años, yo empecé, digamos con el ahorro en una rueda, el equivalente a un carro, eso es lo que hago".*

LA FM: "Pero excúseme, estamos hablando de usted que es el director de la Policía. El comunicado dice: "Durante los últimos seis años con mi familia hemos venido efectuando un plan de ahorro e inversión con una empresa de transporte mediante el aprovechamiento de tres cabezotes de tractomula".

GP: *"Esa empresa yo no la creé, esa empresa tiene otros dueños".*

LA FM: "¿Quiénes son los otros dueños?".

GP: *"El dueño es una persona que seguramente en el momento en que me llamen a mí a declarar debo decir sí señor y le digo de una vez. Esa empresa es de un señor Roberto Poveda, ¡señora! Un santandereano, es un hombre muy trabajador que fue el que me permitió invertir".*

LA FM: "Es decir, usted es socio del señor Poveda".

GP: *"Soy socio".*

LA FM: "General ¿cuánto costaron los tres cabezotes de tractomula?".

GP: *"Vea, mire Vicky, yo empecé mi ahorro en esa empresa consignando 50 mil pesos y empecé haciendo esos aportes cada vez que tenía un anticipo de cesantías los iba colocando allí. Una tractomula, un cabezote vale 200 millones de pesos, yo empecé comprando —por decirlo de alguna forma—, una rueda de una tractomula, y así. Nunca compré, como dicen en mi tierra, de una sola, una mula".*

LA FM: "Pero general, uno cómo hace para comprar una rueda y ponerla a trabajar, eso es imposible…".

GP: *"No, pero es que tuve la fortuna que en esa empresa me recibieran esos 50 millones de pesos, fuera capitalizando. Por decir algo, un tractocamión rinde al mes cuatro millones de pesos, entonces la cuarta parte es un millón de pesos, yo ese millón de pesos nunca lo retiré, nunca lo recibí, sino que siempre lo capitalicé. Eso es lo que me ha permitido a mí avanzar y construir. No es ningún capital extraordinario, Vicky".*

LA FM: "No, son solo 600 millones de pesos que estarían allí invertidos. La cuestión es que usted ha dicho que fue poniendo de a pesito y que con lo que han producido esas tractomulas, usted ha podido pagar las cuotas, pero que además eso le alcanzó para el lote de Sopó. ¿Estamos en lo correcto?".

GP: *"Una parte".*

LA FM: "¿Cuénteme una cosa, con quién son los contratos que usted tiene con esas tractomulas?".

GP: *"No, esa sí es una pregunta que yo no le puedo contestar porque yo no soy quien contrato".*

LA FM: "¿Pacific Rubiales?".

GP: *"No, no lo sé señora, porque es que el dueño de la empresa es el que hace los contratos, él sabe con quién licita y sabe a quién le está transportando".*

LA FM: "Bueno en eso usted no tiene claridad, lo que sí debe tener bien claro es: ¿cuánto le produce cada tractomula?".

GP: *"Vea Vicky, hay días que eso está bueno y hay otros meses en que eso no está tan bueno. Entonces, una tractomula puede dar 8 millones de pesos, de pronto da 10, de pronto da 5 o a lo mejor el otro mes está en reparación y le quitan. Eso es un buen negocio, pero también es un negocio muy incierto".*

LA FM: "General, ¿en su familia tienen más tractomulas? ¿Solo son esas suyas las que hacen parte de esa empresa de la que usted habla? ¿Usted no tiene más tractomulas?".

GP: *"No tenemos más".*

LA FM: "¿Usted le prestaba como comandante de carretera seguridad a esa empresa de Roberto Poveda?".

GP: *"No señora. Nunca de ningún tipo".*

LA FM: "¿Cuál es la función de un comandante de carreteras?".

GP: *"Asegurar la movilidad en las vías de Colombia y auxiliar a tantos colombianos que se vieron afectados en esta ola invernal, que vieron en su servidor a un gran aliado, por eso no fue en vano aquella frase que quedó y quedará en la historia: Palomino su amigo en el camino, así me conoció el país. Dios la bendiga, pero ya va a empezar la ceremonia".*

Sentimos en la cabina que el general Palomino no pudo explicar que evidentemente se aprovechó de su posición para poner en marcha un negocio próspero en el sector del transporte, el mismo que él debía cuidar y controlar. Y digo próspero porque él mismo afirmó en la entrevista que comenzó con una llanta y terminó siendo socio de la empresa de transporte y con tres tractomulas circulando por las carreteras que él vigilaba.

¿En esas condiciones quién podía negarle un contrato? ¿Quién podía controlar y vigilar las tractomulas del director de tránsito en Colombia? ¿Cuáles eran los valores agregados para los empresarios que le dieran trabajo a esos vehículos y a esa empresa?

Esas preguntas nunca tuvieron respuesta y, a mi juicio, solo por eso el general Palomino debería haber sido investigado disciplinariamente. Había una incompatibilidad natural entre su cargo de funcionario público y sus intereses personales de negociante. La incompatibilidad estaba plasmada en que su negocio se desarrollaba en el mismo sector en el que él se desempeñaba como funcionario y el cual emprendió justo el año cuando lo nombraron en el cargo.

Nuestras investigaciones sobre el patrimonio del general Rodolfo Palomino y los otros generales de la Policía se extendieron por un mes aproximadamente.

Uno de esos días de consolidar datos, Juan Pablo Barrientos, periodista de la mesa de trabajo, me llamó como a las cuatro de la tarde, cuando lo tuve en el teléfono, lo sentí nervioso. Me dijo muy sorprendido y asustado que vio cómo en segundos el cursor de su computador personal se movió y borró el archivo en el que tenía información de las denuncias sobre los bienes del general Palomino.

Al comienzo fui incrédula, pensé que podía tratarse de una falla técnica. Colgamos. Sin embargo, cuando el periodista había recuperado parte de lo que tenía escrito, a las 11 de la noche volvió a ocurrir lo mismo. Su material desapareció en un segundo. Angustiado se comunicó con un amigo y este le recomendó desconectarse de Internet. Aunque nunca supimos qué fue lo que realmente sucedió, los investigadores nos contaron que la Policía cuenta con tecnología capaz de actuar a control remoto sobre otros computadores y no dejar rastro.

Afortunadamente fuimos precavidos y guardamos el material en varios archivos, en diferentes ordenadores. Era la única garantía.

El general Palomino estaba acumulando actuaciones de colección, como el tratamiento que le dio a una investigación en la que se vieron involucrados su asistente personal, el capitán Jorge Lasso y su hermano el coronel José Luis Palomino.

Aunque la primera instancia ordenó destituir a Lasso por haber protagonizado un escándalo de "usted no sabe quién soy yo", el oficial fue absuelto y premiado por el director de la Policía con un viaje de varias semanas al que lo invitaron con todo pago a China y aunque la Policía no pagó, obviamente lo invitaron por ser oficial de la institución. Luego fue premiado y trasladado a un mejor cargo a AMERIPOL (Comunidad de Policías de América). Al hermano del general Palomino, tampoco le pasó nada. Daniel Coronell en su columna de la revista Semana "Lasso de Amistad" del 31 de octubre de 2015 reveló que al coronel José Luis lo enviaron a comisión en Argentina hasta diciembre de ese año (2015), un excelente lugar para comer el mejor churrasco mientras se calmaban los ánimos.

Capítulo VII

Muerte en la escuela

"Muñequita preciosa: sabes por los duros momentos que he estado pasando y te necesito más que nunca. Espero que no se te vuelva a pasar por la cabeza que dejaré mi carrera porque antes que hombres y demás pendejadas, está mi familia, mi futuro y valoro mucho todo el esfuerzo que han hecho por sacar adelante esta personita que con tanto cuidado han moldeado. Mi bebé te adoro muchísimo Dios les regale a muchos niños los excelentes padres que he tenido. Porque cada día me siento más orgullosa de mi familia. Dios me los guarde por siempre. Besos, tu hija Lina".

Desde hace 10 años María Adiela Gómez Castrillón guarda en su mesa de noche la última carta que le escribió su hija. Un mes después de leerla por primera vez, Lina Maritza Zapata Gómez murió en confusos episodios en la Escuela General Santander.

Los trágicos hechos ocurrieron el 25 de enero de 2006. Aunque la Policía aseguró que la joven se había suicidado, Medicina

Legal, el 27 de febrero de ese año, estableció que la cadete nunca disparó el arma que la mató.

Prueba de absorción atómica de Medicina Legal[7]:

"La determinación para los residuos compatibles con los disparos, representada por los elementos, Plomo, Antimonio y Bario, en la muestra identificada como frotis, tomada a las manos, dio el siguiente resultado:

Mano Derecha: NEGATIVO

Mano Izquierda: NEGATIVO".

Los médicos forenses no encontraron rastros de pólvora en las manos de Lina Maritza. Es decir, la mujer no se suicidó. Alguien la mató y miembros de la Policía buscaron desviar la investigación con el artificio del suicidio.

Lina, según su madre, estaba muy atormentada la última vez que se vieron, porque sin querer, había conocido un grave y peligroso secreto. Descubrió cómo operaba una red de prostitución, especialmente homosexual, en la Escuela General Santander, donde se preparaba para ser oficial de la Policía.

Se trataba de la "Comunidad del Anillo", que por esa época tenía gran poder, no solo en la institución, sino en el propio Congreso de la República.

Todo indica que tras conocer la verdad y los alcances de la red, la joven se llenó de un deseo inmenso de denunciar ante las autoridades lo que había descubierto. Algunos de sus excompañeros aseguran que Lina Maritza obtuvo de primera mano la información contenida en el álbum por medio del cual la organización ofrecía a sus "clientes" a un grupo de estudiantes de la escuela que posaban en fotografías sexuales.

La cadete habría llegado a esa macabra historia de la mano de su nuevo novio, un compañero que también quería ser oficial y

---

7. Dictamen de Medicina Legal, caso número BOG-2006-003498, análisis del 2006-02-27, firmado por la química forense María Constanza Moya Jiménez.

que empezó a ser acosado sexualmente por quienes manejaban la "Comunidad del Anillo".

Las amenazas de muerte no tardaron en llegar a la familia de Lina. A sus parientes que intentaron encontrar la verdad nadie los protegió, ni la Policía, ni la justicia, ni el Gobierno. Convencida de que su hija había sido asesinada, María Adiela tuvo que salir del país hace ocho años, con su esposo y su hijo de 14 años, para proteger su vida. Ellos se enfrentaban con una organización tenebrosa y con amplios tentáculos para hacerles daño y evitar que descubrieran la verdad y la hicieran pública.

Desde el principio esta historia me impactó. Es la lucha minuto a minuto de una madre prácticamente sola contra la impunidad. Una tarde logramos tener contacto. No fui capaz de hablarle tranquila sin pensar que la ponía en peligro de nuevo si alguien más nos estaba escuchando, le pedí que habláramos dos días después por un teléfono más "seguro".

Luego de hacer los primeros contactos convinimos que el 2 de febrero de 2016 me relataría su historia.

Llegó el día. María Adiela, una ama de casa y en cuyos ojos vive para siempre la tristeza eterna por la ausencia de su hija, sacó de un cajón la última carta de su 'reina', la tenía de nuevo entre sus manos, como tantas veces en estos largos años, allí se destacan las libélulas, las estrellas y un arbolito de Navidad, que dibujó Lina para adornar el escrito. Todo eso parecía recobrar algo de vida en medio de un nostálgico mensaje que sonaba a despedida final.

La voz de María Adiela empezó a quebrarse. Los recuerdos le volvieron a atropellar el corazón. Insisto, es la lucha de una madre por saber la verdad sobre la muerte de su hija; así de simple y doloroso.

Vicky: "¿Cuál fue la última conversación que tuvo con Lina antes de que le dijeran que había muerto?".

María Adiela: *"Ella estuvo de vacaciones para fin de año, compartió con nosotros la Navidad. Estuvo un poco deprimida por lo de la* *ruptura con el novio que tenía acá, que era un noviazgo ya de cerca de cuatro años y medio".*

VD: "¿Ella le comentó que estaba deprimida por algo específico, además de la depresión por ruptura con el novio? ¿Sabía algo que no debía saber acerca de lo que estaba pasando en la Escuela?".

MA: *"Ella sí me comentó algunas cosas... es que de todas maneras me da temor... Algo que yo puedo contar es que le tenían intervenido el teléfono a Lina y se sentía una interferencia en los teléfonos. Inclusive llegamos a la conclusión que debíamos hablar sin nombres específicos. Decir el sobrino de tal, el tío de tal y así nos entendíamos. Ella me dijo: "Así vamos a hablar mamá". Lo último que nos dijo a mi hermana y a mí fue: "La Policía no era como yo creía. La Policía es como ver una manzana roja y brillante, pero por dentro está podrida". Esas fueron sus palabras exactas y aseguró que pasaban muchas cosas allá".*

VD: "¿Ella le alcanzó a contar algo de la "Comunidad del Anillo?".

MA: *"Algunas cosas Vicky".*

VD: "¿Quién era el novio de su hija?".

MA: *"Ella trató de tener una relación en la Escuela con John Freddy. Yo conocí este muchacho, creo que él es de Villavicencio. Yo muy contenta, quería que ella dejara ese noviazgo con este muchacho de acá del pueblo. Luego ella en un mensaje me dice: mamá definitivamente yo al gordo lo amo, yo no soy capaz de tener una relación estable con otra persona. Ese fue el mensaje que ella me dejó en el teléfono, no hablamos sino que me lo dejó".*

VD: "¿Y usted se acuerda del apellido de John Freddy, era compañero de ella?".

MA: *"John Freddy Cifuentes".*

VD: "¿John Freddy Cifuentes es el mismo que aparece declarando en la Fiscalía por los hechos de la "Comunidad del Anillo?".

MA: *"Sí, en apariencia el muchacho es muy guapo, físicamente es muy atractivo".*

VD: "¿Y él le contó a ella lo que le pasó con la red de prostitución?".

MA: *"Sí".*

VD: "¿Eso llevó a la muerte a su hija?".

MA: *"Sí, creo que sí Vicky, porque inclusive ellos tenían un contacto muy fuerte".*

Hasta ese momento María Adiela lucía muy temerosa de contar lo que había descubierto y guardado por miedo y prudencia estos últimos diez años. Su tono era comprensiblemente desconfiado.

El día de la muerte de Lina aún sigue intacto en el recuerdo de su familia y de quienes estaban en la Escuela General Santander. Lina en medio de sus temores y decepción estaba feliz, pronto iba a ascender al grado de alférez y visitaría a sus seres más queridos.

Su mamá estaba emocionada con el anuncio del regreso de su hija. Corría con el vestido sastre que utilizaría la niña de la casa en su celebración. Esa mañana el ambiente estaba tenso. Lina no contestaba el teléfono y eso inquietaba a María Adiela. Cuando la madre regresó a su residencia, empezó para la familia la historia más triste de sus vidas.

MA: *"Se cree que eso ocurrió muy temprano; hubo el rumor que lo de la niña pasó a las 4 de la tarde, que la Escuela la cerraron para poder manipular, porque la investigación no la hicieron los que tenían que hacer la investigación. Fue la misma Policía la que manipuló la escena de la tragedia. Vicky, yo me aterro cómo cosas tan evidentes se las han saltado. No aceptan lo que pasó en la Escuela".*

VD: "¿Qué recuerda de ese día?".

MA: *"Nosotros llegamos como faltando 20 minutos para las 11 y no contestaba el teléfono. Cuando entramos suena el teléfono fijo y yo* *inmediatamente contesto. Me dicen: "¿Con la mamá de Lina Maritza Zapata?". Digo sí. "Su hija se acaba de suicidar". Pero así fríamente.*

VD: "¿Quién la llamó?".

MA: *"El mayor Gutiérrez, que fue uno de los que se cree que manipuló la escena de los hechos. Yo gritaba Vicky. Yo digo lo que uno siente en ese momento, es como si a una se lo tragara la tierra. Yo era como loca, yo gritaba, le pasé el teléfono a mi esposo. Yo no podía creer lo del suicidio... ¡Éramos como locos!... Fue muy duro todo esto, viajamos al otro día rápido a Bogotá, en el primer vuelo".*

Cuando la familia de Lina llegó a la Escuela General Santander, todo era extraño y lleno de restricciones. Había un ambiente de misterio, miedo y cosas prefabricadas. En ese momento no pudieron ver el cadáver de la cadete. Todo era confuso, versiones a medias. La oscuridad.

MA: *"Llegamos, no nos dejaron tener contacto con los compañeros de Lina, nos entraron al casino de oficiales, a todos los muchachos de la compañía los tenían en un salón grande con puertas de cristal y se veía cómo les manoteaba y alegaba Caro Meléndez (coronel Álvaro Caro Meléndez, director de la Escuela en 2006). No me dejaron tener contacto tampoco con Leidy Maritza, una de las amigas más cercanas de Lina. Al final John Freddy Cifuentes, el novio, se escapó hasta el casino y me abrazaba y le daba puños a la pared y lloraba. Yo gritaba que me dejaran estar con el cuerpo en Medicina Legal y no fue posible. No nos dejaron ver el cuerpo. Lo que sucedió con las botas altas de Lina, es algo muy extraño, debían estar en cadena de custodia, nos las entregaron. La quema de la ropa de la niña también es inquietante".*

VD: "¿Cómo se da cuenta de que le quemaron la ropa a su hija?".

MA: *"Nos contactamos con un capitán que dice que él mismo por orden de Caro Meléndez quemó la ropa de la niña. Irrespetan el cuerpo* *sin vida de la niña, le cambian el uniforme, como si ella estuviera en la despedida para el ascenso a alférez".*

El corazón de madre le decía a María Adiela que era imposible que su hija se hubiera suicidado. Sin duda, la prueba más contundente a favor de la verdad, fue el estudio de Medicina Legal que concluyó científicamente que Lina nunca disparó. Entonces, ¿Quién la mató? ¿Por qué la mataron? Diez años después del crimen no hay respuestas y los responsables han gozado de una impunidad asombrosa. La misma Policía se ha encargado de ocultar la verdad. Las autoridades competentes tampoco han hecho lo que les corresponde. Una justicia ciega y sorda ante las evidencias.

MA: *"La absorción atómica no concuerda nada con nada... Cuando voy a la Fiscalía, veo el croquis, cuando ella está en el piso, muerta, lo traigo y busco a un penalista muy importante de Risaralda, muy reconocido. Nos reunimos y dice: "Estoy seguro de que es un homicidio volteado a suicidio". Precisamente como al mes me llamó y me dijo: "Señora, absorción atómica negativa". Le dijimos que si se podía hacer cargo del caso y me dijo no, es un elefante blanco, busque ayuda en otra parte".*

VD: "¿Qué era peligroso?".

MA: *"Me dio a entender que era peligroso y que era pelear prácticamente con un imposible".*

VD: "La prueba de absorción atómica salió negativa. ¿Eso le da a usted la certeza de que a su hija la mataron?".

MA: *"Sí, otra cosa que le voy a comentar. Un fiscal de Bogotá que también buscamos es experto en álbumes fotográficos de muertes. Y es el pan de cada día de él ver álbumes y él dijo que era un homicidio, no suicidio. ¡Pero qué! ¿Quién puede contra todos estos bandidos que hay en la Policía?".*

VD: "¿Cuál es la historia del sable?".

MA: *"La historia del sable es que en muchas declaraciones se dice que Lina no tenía sable en el momento de su muerte y las pruebas que hacen en las que simulan su caída cuando supuestamente se disparó, arrojaron que era imposible que Lina se hubiera disparado y el sable hubiese quedado encima de su abdomen. No es posible que siendo diestra el arma cayera al lado izquierdo, no es posible las goteras de sangre dentro de los pies de ella, porque ella quedó con los pies abiertos".*

VD: "Entonces con esa prueba a usted le queda claro que a su hija la mataron".

MA: *"Sí, nos queda claro. Blanco es y gallina lo pone. En qué cabeza cabe que quemaran la ropa de la niña. Si hubiera sido un suicidio por qué tenían que manipular, por qué tenían que poner el sable encima del abdomen, por qué la absorción atómica sale negativa, por qué yo voy a la Fiscalía y le hacen prueba otra vez al arma y sale positiva, la disparan y sale positiva. Si me entiende lo que le quiero decir. Por si el arma hubiera estado mala…".*

VD: "¿Con esa arma la mataron?".

MA: *"¡Claro! Vea yo me reuní con el entonces presidente Uribe y hablé con el general Naranjo…".*

VD: "¿Qué le dijo Uribe?".

MA: *"A Uribe le mostré una foto de Lina Maritza y le conté y él se asombró mucho y rápido se comunicó con Naranjo. Yo fui a Bogotá, hablamos con el general, pero igual Vicky, un abracito como de papá y sí, que me iban a ayudar, pero nunca me ayudaron Vicky. Por órdenes de Uribe se hizo que se repitiera que dispararan esa arma que está en cadena de custodia y la persona que la disparó salió absorción atómica positiva, o sea que el arma no tenía problemas, el arma estaba buena".*

VD: "¿Esa era el arma de Lina?".

MA: *"No, los estudiantes no tienen arma de dotación, que es lo que dice Caro Meléndez era su arma de dotación. Es imposible, ¿por qué ellos quieren enredar a la gente que no conoce cómo se maneja…?".*

VD: "¿Ella no tenía arma?".

MA: *"No, es que ningún estudiante tiene arma, solo tiene arma la cadete del servicio, pero el arma tenía que estar en el armerillo. ¿Por qué estaba el arma en los alojamientos?".*

VD: "¿Supo usted de quién era el arma?".

MA: *"De la cadete de servicio".*

Los testigos del asesinato de Lina también han sido amenazados y otros asesinados. Desde entonces, los nombres mencionados en las investigaciones por una u otra razón, son los mismos.

VD: "¿Qué pasa cuando usted empieza a averiguar sobre la muerte de su hija?".

MA: *"Es una lucha, es un desgaste emocional, físico, económico. El dinero que nosotros hemos gastado en todo esto para que este señor Castellanos salga diciendo lo que ha dicho... ¿Quién como padre va a buscar el peligro en que nosotros hemos estado por dinero? Vicky, nosotros estamos agotados de estar migrando, viajando, de estar con las cosas recogidas de un lado para el otro por el miedo, pero nos cansamos de este miedo. Yo no he dejado que mi hijo, ni mi esposo salgan a los medios, yo he sido la que he estado expuesta. La muerte de la niña no puede ser en vano. Porque es que después de la muerte de la niña se ha sabido lo que verdaderamente pasa en la Escuela, los muchachos asechados, obligados a salir de la Escuela a que estos malhechores hicieran con ellos lo que querían y les desviaran su forma de ser o su forma de pensar...".*

VD: "¿Usted volvió a hablar con Cifuentes, el novio de su hija? ¿Él qué dijo sobre la muerte de su hija?".

MA: *"Ha negado cosas, yo no quise hablar más con él porque Cifuentes era uno de los más acechados de la Escuela por la "Comunidad del Anillo".*

VD: "¿Usted qué sabe del coronel Jerson Jair Castellanos?".

MA: *"Pues lo poco que he visto en las noticias. De lo que sí le quisiera hablar es de Torres Orjuela, él es el que le hace los contactos dentro de la Escuela a Castellanos, eso sí lo sé. Y Lina Maritza tenía un contacto muy estrecho con Torres Orjuela, porque se manejaban unos grupos de oración que yo no entiendo. Unos grupos de oración donde la última vez, Lina Maritza salió deshecha llorando, deshecha. Quería irse a vacaciones. Las amenazas se hicieron más fuertes para ella. Dentro de su casa, (la casa de Torres Orjuela), se hacían los grupos de oración, inexplicable, una persona que estaba desviando los muchachos de tal forma, porque él era el vínculo más cercano de Castellanos: Torres Orjuela".*

VD: "¿Usted cree que él tuvo que ver con la muerte de Lina?".

MA: *"Sí, creo que sí".*

VD: "Hay alguien mencionado que es de apellido Lucumí...".

MA: *"Lucumí, yo hablé con él, cómo no iba a oír un disparo de un revólver, si estaba al lado de la habitación de Lina y más en las horas de la noche, si es que fue en las horas de la noche. Cómo es que él entra a los alojamientos si es prohibido. Vicky, es que está todo tan arreglado y tan mal arreglado. Si a Lina Maritza la dejaron ir al baño, cómo dejan que un muchacho la acompañe y no una chica. ¿Tenía qué ser Lucumí? ¿Tenía que ser un hombre? Y que se entra hasta allá y que la ve que está sangrando y que sale gritando".*

VD: "¿Cree que Lucumí pudo haberla matado?".

MA: *"¿Qué le digo de Lucumí? ¿Que es la persona que la mató? Yo no voy a decir que lo hizo, porque es que yo no lo vi, pero parece ser que el autor intelectual, apunta al mayor Torres. ¿Y no sabemos Lucumí qué tuvo que ver ahí?".*

VD: "¿Qué más sabe?".

MA: *"Un capitán, él me dijo muchas cosas y él fue el que estuvo más cercano cuando la muerte de Lina. Y él hizo posible que yo entrara a la Casa de Nariño. Pero lo más extraño es que él me contó algunas cosas, que yo no las voy a decir aquí y apareció muerto con un arma* *ciega, cerca de Bogotá. Seguro nos vieron. Yo he tratado de contactar la familia después de que pasó esto y no han querido nada porque la mayoría de los hermanos pertenecen a las Fuerzas Militares de allá de la Policía de la General Santander".*

VD: "¿No nos va a decir el nombre de este capitán?".

MA: *"Ya está muerto también. Él fue muy bueno conmigo, hay policías buenos, muy pocos, pero los hay".*

VD: "El capitán del que usted me hablaba, el que mataron ¿Era el capitán Efrén Pérez?".

MA: *"Sí, él me contó muchas cosas, nos vimos varias veces en Bogotá, hablamos mucho de la niña. Cuando murió, yo quise tener contacto con la familia y no quisieron, no fue posible".*

VD: "¿Y este capitán le reveló quién mató a Lina?".

MA: *"No, pero él me dio muchos indicios de que fue otro cuento, otra cosa distinta de lo que dice la Policía".*

VD: "¿Pero sí le relacionó la muerte de Lina con la "Comunidad del Anillo"?".

MA: "Algunas cosas y muchos capitanes quieren hablar, pero les da miedo. Y les ofrecieron viajes al exterior, porque he leído las declaraciones también, les ofrecieron muchas cosas. Uno de esos capitanes estuvo aquí en el sepelio de la niña y quería (hablar), pero Vicky yo a ellos los entiendo que tienen miedo. Mire lo que le pasó al capitán que está detenido. Lo que sí sé es que la "Comunidad del Anillo" era una red tan fuerte, que tocó el Congreso de la República. ¿Qué le digo? Que hay gente implicada muy, muy importante del país que por eso es que esto lo tapan y lo tapan y no encuentran cómo...".

VD: "Déjeme preguntarle por un capitán Ospina".

MA: *"Ospina fue uno de los que quería denunciar todo esto, pero le dio miedo también por lo que le pasó al capitán del que le hablo, por las amenazas, porque esta gente hace dentro de la Escuela lo que quiere".*

VD: "Cuando usted dice esta gente ¿A quiénes se refiere? ¿Quiénes son?".

MA: *"Los que tienen muy alto rango dentro de la Escuela. Los generales, los coroneles, toda esta gente ya cuando se apoltrona en estos puestos y como viene la "Comunidad del Anillo" y cogen estos resabios sexuales".*

VD: "¿Cómo los empiezan a amenazar a ustedes? ¿Qué les dicen? ¿Cómo los abordan?".

MA: *"Cuando hacen la autopsia psicológica en la que empiezan a entrevistar a los padres para empezar a analizar cómo era el carácter de Lina Maritza, se comenta que de pronto era narcisista y bueno entonces yo empiezo a estudiar sobre el narcisismo, una persona narcisista jamás se haría daño, es otra contradicción de ellos, en ese momento se nos acerca gente de la Policía, ellos estaban pendientes de todos los pasos que dábamos en la investigación de la niña, nos dicen que dejemos esto así, que nosotros qué es lo que buscamos, que esto va a traer más cosas graves. Esto me generó más rabia, más repudio. A través del teléfono fijo de la casa también llamaban, porque ellos tenían el contacto claro, también los números de los celulares. Las amenazas más fuertes fueron a través del teléfono. Otra vez que yo fui a Bogotá en Paloquemao, también un policía que tenía rango se me acercó, no era un policía normal y me dice que nosotros qué buscábamos, que por qué ya no nos quedábamos tranquilos, que la vida de la niña ya no se recuperaba".*

VD: "¿Tuvieron que irse de Colombia, nadie los protegió?".

MA: *"Nadie. Uno con la Policía aquí siente como miedo, le digo sinceramente. Porque yo digo, un porcentaje de la Policía es corrupta, muy alto. Sí hay policías buenos, pero son muy pocos".*

VD: "Sabe doña María Adiela, tengo en mis manos una copia de esa última carta que le escribió su hija, se sentía orgullosa de sus padres, les agradecía por todo".

Después de mi pregunta hubo un profundo silencio. María Adiela empezó a sollozar. Sentí como si su corazón hubiera regresado a aquel día, lleno de dolor reciente y a la vez eterno. Me dolió escucharla, esperé, también permanecí en silencio.

MA: *"Esa carta me la trajo la última Navidad que ella estuvo con nosotros. Hay fechas muy difíciles, momentos muy difíciles, la vida no es igual. Pero igual Vicky, desde la muerte de ella fueron tres años muy duros que yo no levantaba cabeza para nada y con tantas cosas esto es un desgaste muy grande".*

María Adiela tuvo que huir con su familia de quienes la amenazaban constantemente. Hace por lo menos ocho años salió del país. Hoy Lina sería capitán y tendría 29 años. Su cuerpo fue sepultado en Marsella, Risaralda.

La macabra y vergonzosa historia de la "Comunidad del Anillo", que ha cobrado la vida de al menos dos personas, dejó de ser un mito y se convirtió en una realidad, tras las investigaciones periodísticas no solo del equipo de La FM, sino de la periodista Cecilia Orozco, del equipo de Noticias Uno y el programa Séptimo Día de Manuel Teodoro.

Judicialmente aún no hay nada y difícilmente el caso llegará de verdad a los tribunales para castigar a los responsables. Lo más triste es que el propio ministro de Defensa, Luis Carlos Villegas, negó rotundamente la existencia de esta organización a pesar de las contundentes evidencias. Solo los hechos lo obligaron a reconocer tímidamente en RCN Radio la existencia de la "Comunidad del Anillo". Aunque Villegas nunca ha impulsado una investigación como le correspondería dentro de sus obligaciones, sus declaraciones sí buscaron sepultar este escándalo, afirmando que tal comunidad ya no existía.

María Adiela sí tiene claro todo lo sucedido.

VD: "¿Cómo funcionaba la "Comunidad del Anillo" en la Policía, qué le han contado?".

MA: *"Un coronel, con un mayor, iban, miraban a los muchachos, los que les gustaban, captaban a los muchachos mejor parecidos, por decirlo así... los que tenían buena apariencia. Cómo podían educar a los futuros policías estas personas que son como unos monstruos. Me da mucho pesar de los muchachos, es muy triste, así se manejaba con el poder de esta gente.*

Lo que leo en los expedientes es que él (Coronel Castellanos) entraba a la Escuela como Pedro por su casa, miraba qué muchachos le gustaban —también tenían álbum fotográfico—, luego miraban las fotos con esas personas que aunque tuvieran sus familias, les gustaban las parejas del mismo sexo y llevaban una vida doble, ahí ellos también escogían".

VD: "¿Y qué pasaba con esos jóvenes?".

MA: *"Los sacaban a permiso, violaban los protocolos de salida, no les importaba violar todo eso. Cuando un capitán o el que estaba al mando preguntaba por qué pasa esto, tenían que quedarse callados. Les ponían las trampas para que se les dañaran sus carreras. Entonces, como dicen, una golondrina no hace verano y es muy difícil enfrentarse a toda esa gente que tiene alto rango".*

VD: "¿Qué pasaba cuando los sacaban de la Escuela?".

MA: *"Se cree que los drogaban y se cree que abusaban de ellos".*

VD: "¿Pero solamente ese coronel o quién actuaba con ese coronel?".

MA: *"No, lo que se dice ahí (en los expedientes) es que él los sacaba como para hacer una trata de personas".*

VD: "¿Supuestamente los drogaban y abusaban de ellos otras personas, no solo Castellanos?".

MA: *"Sí, se cree que otras personas, pero gente muy importante del país".*

VD: "¿Y usted sí cree que se va a saber la verdad?".

MA: *"No creo, pero esa mentira se la creen ellos mismos, porque todo el país no se la cree ni en muchas partes del mundo que escuchan La FM, que se enteran. Al uno emigrar conoce mucha gente de muchos países y conocen la historia y se interesan en la historia. Y no solamente en Colombia lo saben, lo sabe mucha gente de muchos países. Solamente los corruptos se creen esas mentiras que ellos dicen, ellos no dejan que pase nada".*

VD: "¿Usted cree que todo aquel que toque la "Comunidad del Anillo" está en peligro?".

MA: *"Yo creo que sí, porque Lina se acercó a la "Comunidad del Anillo" y mire lo que le pasó. Capitanes que han estado detrás de esto se han destruido sus trabajos, sus vidas, sus familias. Porque mire, los medios que son algo tan respetado, también han sido amenazados. Ellos manipulan todo como quieren. Con la complicidad de altos mandos, la mayoría viene también de familias muy ricas y muy prestantes, con mucho poder...".*

VD: "¿Usted cree que Castellanos tiene algo que ver con la muerte de su hija?".

MA: *"Sí, creo que sí".*

VD: "¿A usted le entregaron el ataúd de su hija sellado?".

MA: *"Sellado. Yo les insistí, quiero verla antes de llevármela porque de pronto me entregan un cuerpo que no es y no permitieron, estaba sellado totalmente. Otra cosa que yo le voy a decir, como nos meten un suicidio, nosotros debíamos de haber traído un médico forense, mi hermana es enfermera y ella trató de organizar un poquito el cuerpo después de que lo entregaron porque ya llegó muy inflamado el rostro. Tenía lacerado el párpado, tenía petequias, la parte de atrás dicen que estaba destrozada que con solo tocarla se hundía el cráneo. Un error que cometimos fue no haberla hecho revisar de un médico forense".*

VD: "¿En sus oraciones qué le dice a su hija?".

MA: *"Primero que todo me siento muy orgullosa de ella porque en verdad que nos trajo mucha felicidad, no solamente a la familia, sino a* *mucha gente de este pueblo que la recuerda con mucho cariño. Le digo que se pudo limpiar su nombre y también que todo esto ha servido para que la Escuela mejore, para que estos muchachos no sufran ese acoso sexual que han sufrido dentro de la Escuela. Que de algo sirve que los medios hayan sacado todo esto, de algo sirve. Yo a veces me siento tranquila de ver que se ha podido hacer algo. Y ojalá que con lo que ustedes publican el país mejore".*

Las palabras de esta mujer nos hacían un llamado a seguir buscando la verdad, sin importar qué intereses oscuros se atravesaran en el camino y quiénes estuvieran detrás de esos intereses. Sus palabras nos alimentaron el valor y la responsabilidad de hacer exactamente lo que nos tocaba como periodistas, seguir investigando y denunciando.

Ya iba a terminar la entrevista, cuando María Adiela me interrumpió como si no quisiera que esas palabras quedaran solitarias en su garganta.

MA: *"Otra cosa que yo le iba a decir es que yo tenía una entrevista con el general Palomino, hace dos años que fuimos a Colombia. Y yo acepté que ellos querían hablar conmigo, pero que debían estar los abogados. Nosotros estuvimos dos meses creo en Colombia. Faltaban cinco días para nosotros viajar cuando llamó el secretario de Palomino, el capitán Lasso. Y me dice que ya estaba dispuesto el general para hablar conmigo, le digo a qué horas, me dice dentro de dos horas porque andamos en avión privado y podemos ir adonde usted esté. Le dije no, es que los abogados desde Bogotá no tienen tiempo de comprar un vuelo y llegar aquí en dos horas. Yo sin abogados no voy a hablar con ninguno. Me dijo entonces ¿no va a hablar con mi general Palomino?, le dije no muchas gracias y ahí quedó la conversación".*

VD: "¿Y para qué la estaba buscando el general Palomino?".

MA: *"No sé por qué, fue a quema ropa y yo no podía ver al general así. Ellos me llamaron, yo no recuerdo cómo se contactaron. En todo caso yo hablé también con el general Palomino por teléfono. Dándome* *las condolencias después de ocho años, hablando también como un papá, pero usted sabe que yo a esta gente no le creo nada. Y bueno ya que quedábamos listos para la entrevista y que me avisaban. Pero yo tenía prohibido por mis abogados hablar con él a solas".*

La carta de Lina regresó al cajón de la mesita de noche, para seguir acompañando las noches de su mamá y esperando justicia. Contra todas las evidencias las investigaciones por el asesinato de la cadete fueron cerradas en la Fiscalía en marzo de 2011 y fueron reabiertas después de que la familia de Lina Maritza obtuvo nuevas pruebas y las presentó ante los investigadores.

De corazón espero que no se cumpla en este caso en especial, una sentencia de un sabio y veterano exmagistrado de la Corte Suprema de Justicia, a quien, cansado de tanta impunidad, paradójicamente, hace muchos años le escuché decir que la única justicia efectiva en este país es la de los medios de comunicación.

Capítulo VIII

¿La "comunidad del anillo" sigue viva?

Después de la misteriosa muerte de Lina Maritza Zapata, nada volvió a ser igual en la Escuela General Santander. Sobre la institución quedó una mancha y grandes dudas sustentadas en muchas escandalosas versiones. Entre oficiales y estudiantes corrió el rumor de que fue asesinada porque descubrió cómo operaba y quiénes integraban la poderosa red de prostitución homosexual, conocida como la "Comunidad del Anillo".

El miedo se apoderó de varios jóvenes alféreces que no aguantaron más y cuatro meses después del homicidio decidieron denunciar la inclemente persecución de la que eran víctimas por parte de sus superiores. Ese era su único seguro de vida ante aquel peligroso carrusel de venta y tráfico de valores sexuales.

La "Comunidad del Anillo" los asechaba, los manipulaba, los escogía a la fuerza y ante todo, los mantenía bajo amenaza. En juego estaba la integridad personal, la carrera policial, la familia y la vida misma, por eso, durante mucho tiempo imperó la ley del silencio.

Según los investigadores, la "Comunidad del Anillo" todavía podría estar enquistada en la Policía. Nadie sabe exactamente cuándo nació, pero sí se sabe cómo ha operado durante años y bajo el amparo y dirección de muy poderosos oficiales dentro de la Escuela y la omisión de algunos generales en la dirección de la Policía.

Según los testimonios judicializados, con álbum fotográfico en mano, vendían a los muchachos que llegaban novatos a la Escuela General Santander en busca de un futuro laboral en la entidad. Aprovechando la cadena de mando y una muy mal entendida obediencia contactaban a los más guapos, los llenaban de regalos, les ofrecían fuertes sumas de dinero y los enredaban hasta conseguir que se acostaran con altos mandos de la Policía y con algunos políticos.

En otros casos, según las denuncias, los drogaban a través de mezclas de alucinógenos, medicamentos y licor. Los sacaban de la Escuela y los violaban cuando los jóvenes, en estado de inconsciencia, no podían oponer resistencia.

En mayo de 2006 las explosivas declaraciones de varios alféreces, desataron un escándalo sin precedentes al interior de la institución. Todos, sin excepción, señalaron al coronel Jerson Jair Castellanos como la presunta cabeza de la red.

Castellanos era poderoso e influyente, en esa época se desempeñaba como jefe de seguridad del Congreso. Allí sus posibles andanzas sexuales eran un comentario de pasillo, pero nunca nadie se atrevió a denunciarlo, todos callaban por miedo. Testigos aseguran que su oficina permanecía llena de jóvenes policías muy bien parecidos, a quienes al parecer sacaba de sus sitios de trabajo, con el permiso de sus superiores.

Versiones serias y denuncias documentadas aseguran que la red de prostitución promovida por la "Comunidad del Anillo" extendió sus tentáculos hasta el Congreso y que muchos de los llamados padres de la patria usaron sus servicios en un tráfico de favores a cambio de atención sexual. Entre esos favores estarían el lobby y la aprobación de los ascensos para generales.

El oficial Castellanos salió de la institución presionado por el escándalo. Como siempre pasa en la Policía ante un hecho grave o vergonzoso, su retiro fue presentado como un acto "voluntario"; eso buscaba tapar lo que estaba sucediendo.

Fuentes creíbles en la Policía aseguran, que ante la negativa de salir, una unidad de inteligencia de la institución lo habría citado citó y le habría mostrado todas las pruebas que tenían sobre él, supuestamente en comprometedoras circunstancias con jovencitos. Dicen que lo amenazaron con hacerlas públicas si no se retiraba. Aunque él lo niega, lo cierto es que dos o tres meses después de que la Fiscalía General de la Nación conociera los testimonios en su contra, Castellanos dejó el cargo, se retiró por petición propia.

El director de la Policía en ese momento era el general Jorge Daniel Castro, quien conoció en detalle lo que estaba sucediendo en la Escuela General Santander con los alféreces acosados, según relatan varios oficiales que se acercaron a su despacho para denunciar los hechos. Sin embargo, —como también es "normal" en las Fuerzas Militares y de Policía— nunca se conoció resultado alguno sobre las supuestas y exhaustivas investigaciones internas por las denuncias de los uniformados que aseguraban que existía la "Comunidad del Anillo". Para nadie es un secreto que en esa institución hay una solidaridad de cuerpo, que deja casi todos los casos en la impunidad, más aún cuando se trata de hechos vergonzantes y están vinculados importantes oficiales.

Las medidas tomadas por los superiores fueron encaminadas a tapar el escándalo y no a castigar a quienes delinquían a través de la red de prostitución. Ni la muerte en extrañas circunstancias de una de sus uniformadas los movió a establecer la verdad.

Contra el coronel Jerson Jair Castellanos nunca prosperó ninguna investigación de la Inspección de la policía, ante tantas acusaciones en su contra. Curiosamente, el coronel Castellanos salió tranquilo de la Policía a hacer negocios con Palomino, le vendió dos lotes en "El Pedregal de San Ángel", ubicado a pocos metros de la Escuela de la Policía en Fusagasugá. Palomino no se dio por enterado de los antecedentes y las penosas, por no decir más, circunstancias en las que salió su generoso vendedor de predios. ¡Primero el negocio, socio!

Precisamente en ese exclusivo condominio tuvo predio por un tiempo el doctor Carlos Ferro, quien según reveló El Espectador en su sección judicial el 20 feb. 2016, en el artículo "Un condominio con 11 generales y varios escándalos", el exsenador compró la tierra en sociedad con un alto oficial.

> *"El 3 de octubre de 2003 (Ferro) adquirió el lote número 4 de El Pedregal de San Ángel, de mil metros cuadrados, negocio realizado en sociedad con el general (r) Alonso Arango Salazar... Dos meses después, ese alto oficial pasó a ser el subdirector de la Policía, cargo del que salió en mayo de 2007, cuando el Gobierno removió a 11 generales, tras comprobar que en la Policía se realizaban interceptaciones ilegales.*
>
> *Según las escrituras, el ex congresista Carlos Ferro vendió su parte a su socio el 27 de abril de 2006... El exsenador Ferro ha rechazado cualquier nexo con esa red; aunque este lote demuestra que sus relaciones con algunos policías son de vieja data".*

Según la publicación, el general Jorge Daniel Castro, quien era director cuando se conocieron las denuncias de la "Comunidad del Anillo" en la escuela, también ha sido dueño de 4 lotes en el mencionado condominio.

Durante años, incluso después de su renuncia, el coronel Jerson Jair Castellanos ha disfrutado de una gran impunidad, también en la justicia ordinaria. Los testimonios de sus presuntas víctimas pasaron a dormir el juicio de los justos y quedaron engavetados en algún lugar hasta que fueron rescatados por los periodistas.

Las investigaciones durante años fueron archivadas y las víctimas perseguidas por haberse atrevido a denunciar. Esa es una ley que impera en la Policía: "Vea, oiga y calle".

En mayo de 2006 los alféreces Cifuentes, Arboleda, Cortés, Marín y Vélez, no pudieron quedarse callados. Cuando les preguntaron cómo conocieron al coronel Castellanos, estallaron:

"A mi coronel Castellanos lo conocí en los servicios del Congreso para los ascensos de los señores generales. Yo me encontraba de abanderado y al terminar los ensayos, siempre nos daba un refrigerio a todos y nos hacía la charla... Después, un día en la Escuela en la plazoleta de comidas, me dijo: 'venga Cifuentes' y ahí me empezó a preguntar que cómo estaba, que de dónde era. Yo le respondía a las preguntas y él me decía que yo era como gueva... Mi coronel Castellanos me llamaba casi todos los días... Me decía que cuándo íbamos a salir a tomarnos unos aguardientes llaneros... Cuando ya empezó a ponerse muy intenso y yo sabía de algunos rumores por mis compañeros, el alférez Marín y el alférez Vélez, de que mi coronel era gay, entonces yo dejaba de contestarle el teléfono".

Así empezó la declaración ante las autoridades del alférez Cifuentes, el novio que tuvo la cadete Lina Zapata antes de ser asesinada. Aunque la relación duró relativamente poco, Cifuentes le habría contado todo a la joven sobre cómo operaba la "Comunidad del Anillo" en la Escuela.

A pesar de las versiones, nadie detenía a Castellanos, quien parecía ser, según los denunciantes, un depredador que siempre tuvo cómplices y amigos que lo protegían.

"En diciembre mi coronel me invitó a una corrida de toros y a varios de mis compañeros. Él consiguió la salida autorizada por mi coronel Ortega y desistimos los alféreces Vélez, Marín y yo. Solamente fue el alférez Cortés. Nosotros no quisimos ir porque no queríamos salir con ese señor y porque ya en ese momento qué iban a pensar todos los oficiales de nosotros y nos podían tildar de gays".

Sin embargo, el Alférez Cifuentes[8] terminó saliendo con Castellanos, era muy joven, estaba recién llegado a la Escuela y tenía miedo.

8. Declaró el 12 de mayo de 2006 ante CTI Lida Constanza Reyes Cruz, funcionaria comisionada, la declaración ingresó a proceso en Fiscalía por "Comunidad del Anillo".

"Estuvimos en el municipio de Chía en compañía del alférez Vélez. Estuvimos en un asadero y almorzamos. Nos encontramos en el centro comercial Iserra 100 y mi coronel nos recogió en una camioneta tipo burbuja, esa vez charlamos común y corriente... La segunda vez fuimos a un centro comercial, él nos recogió, comimos y entramos a un local de lociones y nos dijo que escogiéramos una loción cada uno, nosotros aceptamos y yo escogí una marca Lacoste, de ciento sesenta y cinco mil pesos, y el alférez Vélez no recuerdo bien si escogió alguna. Después pasamos a un local de tenis y allí nos dijo que escogiéramos lo que quisiéramos. Cada uno escogió un par, los míos eran de marca Adidas y costaron doscientos cuarenta mil pesos. Los de Vélez eran del mismo precio, yo no me acuerdo de la marca... Me insinuó algo que él llamaba el negocio, que si lo íbamos a hacer, había una motocicleta BWIS, después también me hablaba de dos mil dólares, hasta llegar a cuatro mil dólares. Yo interpretaba, por la forma de la propuesta, que se trataba de tener relaciones sexuales con él y a cambio recibiría el ofrecimiento de la moto y el dinero".

El coronel Castellanos era persistente, acosaba a los jóvenes alféreces de todas las maneras posibles y los utilizaba como razoneros.

"Mi coronel Castellanos le dijo al alférez Marín que me hiciera saber la propuesta y mi compañero me contó eso para que yo me enterara de lo que él estaba pensando, que había una cantidad de varios millones para que yo aceptara... Yo sabía que les hizo esa clase de propuestas a los alféreces Marín, Vélez, Cortés y Arboleda. Sé que mi coronel Castellanos estaba muy interesado en el cadete Millán... Yo considero que resulta muy extraño que mi coronel solamente busque, llame y salga con hombres, que les haga regalos, tenga detalles con ellos y quiera impresionarlos. A mis compañeros Marín y Vélez él les hizo la propuesta para que sostuvieran relaciones sexuales a cambio de dinero... Yo no le informé a ninguno de mis superiores... Quiero agregar que mis compañeros le habían informado al señor mayor Torres Orjuela Wilmer".

Cifuentes tuvo que enfrentarse a las preguntas de la capitana Lida Constanza Reyes Cruz, quien fue designada en la Escuela General Santander para indagar a los jóvenes. Lo que sucedía allí era muy grave y en el ambiente rondaba el terror entre los estudiantes. Cuando la capitana Reyes le preguntó a Cifuentes porqué le aceptó al coronel Castellanos regalos y salidas, este simplemente se desplomó:

> *"Lo de los regalos fue antes de hacerme la propuesta, lo otro fue la presión y el temor de que una persona con el poder que él tenía, fuera a sentirse indignado".*

Muchas veces la madre de Lina intentó abordar a Cifuentes por haber sido el novio de su hija asesinada, pero pronto entendió que las presiones para él eran tan fuertes que prefirió no volver a buscarlo. En la Escuela quedó el recuerdo de la linda y cordial pareja que hacían los jóvenes que se preparaban para ser oficiales de la Policía.

El día antes de la explosiva y reveladora versión de Cifuentes, declaró el alférez Arboleda[9]. Sus denuncias fueron más allá. Empezó contando cómo—con el respaldo de sus superiores en la Escuela— un día a él y a Cortés les hicieron poner el uniforme número tres (el uniforme de gala que utilizan los policías para los eventos más importantes) y los enviaron a donde el coronel Jerson Jair Castellanos.

> *"Llegamos a la oficina de mi coronel Castellanos, que queda ubicada en el primer piso, allí estaba mi mayor Wilmer Torres sentado en la sala de espera de la oficina de mi coronel Castellanos, estaba afuera hablando con algunos congresistas. Cortés y yo nos sentamos en la sala con mi mayor y al momento ingresó mi coronel, nos dijo que siguiéramos y él empezó a hablar con mi mayor Torres. Mi mayor salió de la oficina*

9. Declaró el 11 mayo 2006 ante CTI Lida Constanza Reyes Cruz, funcionaria comisionada, la declaración ingresó a proceso en Fiscalía por "Comunidad del Anillo".

y mi coronel Castellanos le dijo a Cortés que si me dijo a mí lo que me tenía que decir y Cortés le dijo que sí. O sea que si yo iba a tener relaciones sexuales con mi coronel Castellanos. Yo le dije a mi coronel que sí, que Cortés sí me había dicho, pero que nosotros no compartíamos eso y mi coronel me preguntó qué pensaba de tener relaciones con él, que cuál había sido mi reacción, que si me había puesto bravo o me había dado risa, yo le respondí que me había dado mal genio, pero que igual eso era normal, que él era homosexual... Después mi coronel Castellanos nos invitó a comer a mi mayor Torres, a Cortés y a mí, a un restaurante de comida oriental que quedaba en el norte y nos fuimos en una camioneta Prado blanca, la iba manejando el conductor...Mi coronel nos decía que si si queríamos comer más que podíamos hacerlo".

Arboleda se destapó y confesó que el coronel Jerson Jair Castellanos acosó a varios de sus compañeros.

"Yo tuve conocimiento de que él a los alféreces Cortés, Marín, Cifuentes, Vélez y a mí, nos propuso tener relaciones sexuales, a cambio de dinero u obsequios... También tengo conocimiento de que los mismos ofrecimientos los hizo en anteriores cursos".

Durante varios días los jóvenes alféreces quisieron contar toda la verdad, fue para ellos una especie de desahogo. Cuando le tocó el turno a Cortés[10], de quien sus compañeros habían hablado, él se ratificó en todo y contó más detalles.

"Anteriormente el alférez Marín me había comentado la misma situación ofreciendo tres millones de pesos por tener relaciones sexuales con mi coronel Castellanos. Propuesta a la cual me negué... también mi coronel Castellanos me ofreció unos tenis como en el mes de diciembre del año pasado, los cuales yo no se los recibí, entonces yo vi que Cifuentes tenía en la cómoda unos tenis nuevos, Cifuentes me dijo que le quedaban

10. Declaró 12 de mayo de 2006 ante CTI Lida Constanza Reyes Cruz, funcionaria comisionada, la declaración ingresó a proceso en Fiscalía por "Comunidad del Anillo".

pequeños, que se los había traído el papá que si quería me los vendía, yo le dije que bueno que yo miraba cómo se los pagaba y los cogí de una vez, me los vendió por 180 mil pesos. Después mi coronel Castellanos me vio los tenis puestos y me dijo que esos tenis se los había regalado a Cifuentes... yo le dije a Cifuentes y me dijo que sí que se los había dado mi coronel Castellanos... yo le informé a mi coronel Mosquera de manera verbal al otro día que fuimos al Congreso, cuando le llamó la atención a mi capitán Ospina y a mi capitán Orjuela, con Arboleda le dijimos que mi coronel Castellanos era homosexual y que nos proponía tener relaciones sexuales con él a cambio de dinero. También le informé el año pasado a mi mayor Torres, él nos dijo que nos alejáramos y que tuviéramos cuidado... yo me sentía por mi coronel Castellanos porque él tiene el poder".

El coronel Castellanos utilizaba también el acoso telefónico para mantener controladas a sus víctimas, quienes lo señalaron refirieron lo mismo. En múltiples oportunidades el alférez Marín[11] le recibió llamadas al oficial y reconoció que el coronel Castellanos acosó sexualmente a otros alféreces. Este es quizás uno de los testimonios más escalofriantes de cómo eran sometidos los jóvenes por la red de prostitución homosexual.

"Yo salí con él unas ocho veces a restaurantes muy lujosos y a conocer la ciudad; después de unas dos salidas, empezó a brindarme dinero, cien mil, doscientos mil pesos. Yo se los recibía y manifestaba una frase, que me portara bien y reinaría. Lo que significaba que sostuviera relaciones sexuales con él y él me daría todo lo que yo quisiera. Sin embargo, nunca sostuve una relación sexual con él, yo le manifesté que no me gustaban los hombres, que me gustaban las mujeres. Él me hacía propuestas que tuviera relaciones con él y me decía que no fuera bobo. Textualmente me decía: "Reine que usted puede reinar"... Yo le pregunté por qué hacía esos ofrecimientos si él tenía esposa e hijas. Él me manifestó que qué me importaba, que a él le gustaban los muchachos y él era pasivo,

11. Declaró el 11 de mayo de 2006 ante CTI Lida Constanza Reyes Cruz, funcionaria comisionada, la declaración ingreso a proceso en Fiscalía por "Comunidad del Anillo".

o sea que le gustaba que lo penetraran... Cada vez que salía con mi coronel, él sacaba de sus bolsillos bastante dinero, aproximadamente un millón o dos millones de pesos... Él siempre demostraba que tenía muchísimo dinero y bastantes negocios de los cuales me contaba que era el representante de un torero francés que también me dijo que era homosexual. Otra cosa que me dijo es que tenía los derechos futbolísticos de varios jugadores (de equipos de la capital). En cuanto a lo que me motivó, no tengo una explicación válida... El 20 de julio del año pasado le conté todo a mi mejor amiga que es la alférez Diana Roa Acevedo...".

Marín dijo en la diligencia que Castellanos le ofreció sumas millonarias para que algunos de sus compañeros se acostaran con él, dijo que por Cifuentes le ofreció hasta 4 millones de pesos.

El alférez Vélez[12] fue el último en entregar su denuncia. Todas estas versiones terminaron judicializadas ante la Fiscalía General de la Nación.

"El que más le gustaba lo sentaba en la parte delantera del carro y entablaba más conversación. Ese día yo me senté adelante, él se iba insinuando muy prudentemente con gestos... También en una ocasión me pidió que le fuera contactando estudiantes que a él le iban gustando, entre esos estaban Gómez, Gálviz, Lucumí y Pérez... No les informé a los otros señores oficiales por temor a las represalias de mi coronel Castellanos, quien siempre me demostró tener mucho poder y quien además se enteraba de todo lo que pasaba en la Escuela... con respecto al vínculo de mi mayor Torres con mi coronel Castellanos, tengo conocimiento que son muy buenos amigos, porque ellos se hablan muy frecuentemente por celular y salen juntos al estadio...".

Los alféreces Cifuentes, Arboleda, Cortés, Marín y Vélez, hoy capitanes activos, fueron llamados después de nueve años de las denuncias por la Fiscalía. Todos sin excepción, se ratificaron en

12. Declaró el 12 de mayo de 2006 ante CTI Lida Constanza Reyes Cruz, funcionaria comisionada, la declaración ingresó a proceso en Fiscalía por "Comunidad del Anillo".

sus denuncias sobre la "Comunidad del Anillo" y sobre todo les contaron a los investigadores cómo los han hostigado durante toda su carrera por atreverse a denunciar la red de prostitución y la conducta del coronel Castellanos. Sus vidas han estado llenas de dolor y temores. Sin embargo, tras la salida del general Rodolfo Palomino de la dirección de la Policía los oficiales no han acatado los últimos llamados de la justicia. ¿Los callaron?

Ese mismo hostigamiento y persecución dice haberla vivido el capitán Edwin Alejandro Orjuela, hoy preso en la cárcel La Picota, hasta donde llegó la periodista Nancy Sáenz del equipo de La FM. Según el relato del oficial en retiro, fue víctima de un montaje que lo tiene pagando una condena de más de 28 años de cárcel por secuestro. Según él, fue sentenciado con falsos testigos.

El capitán Orjuela fue de los primeros oficiales en descubrir lo que estaba sucediendo con la "Comunidad del Anillo" en la Escuela General Santander y junto con el capitán Ospina, empezó a investigar a partir de las ausencias de los estudiantes de sus actividades diarias, sin cumplir los requisitos.

El capitán Orjuela aseguró que informó a sus superiores tan pronto confirmó con los jóvenes estudiantes que estaban siendo acosados por el coronel Jerson Jair Castellanos. Las órdenes que recibió, según él, tras sus comprometedoras denuncias fueron sorprendentes. Había que tapar todo, "minimizar todo".

> *"El señor coronel Caro, director de la Escuela General Santander, hace una reunión con todos los oficiales de la compañía Carlos Holguín y Simón Bolívar y dice: acabo de venir de hablar con el general Castro, director general de la Policía Nacional, quien envía las siguientes instrucciones. Primero, este tipo de irregularidades que se presentaron anteriormente deben ser minimizadas, manejadas acá con cautela, no se van a generar escándalos, se va a hacer el trámite de las investigaciones de ley. Segundo, les informó —menciona el coronel Caro—, que el general Castro me acaba de informar que el señor coronel Castellanos acaba de solicitar la baja a voluntad propia de la institución policial por este tipo de acontecimientos. Así que señores*

oficiales, en esa reunión menciona, dense cuenta que estas novedades atentan contra el alma mater de la institución, o sea la universidad de la Policía, la Escuela General Santander. No quiero que se susciten más comentarios de ahora en adelante y las labores deben continuar de manera normal".

El oficial Orjuela sabe las intimidades de la "Comunidad del Anillo" y asegura que es testigo de lo que pasó en la Escuela el día que mataron a la cadete Lina María Zapata. Su versión sobre por qué quemaron la ropa interior que vestía la joven el día que la asesinaron es fundamental. Señala claramente a los responsables de aquellos hechos que prueban que oficiales manipularon ilegalmente y sin ningún escrúpulo la escena del delito, seguramente para eliminar evidencias contundentes[13].

LA FM: "¿Qué sabe usted de las denuncias que señalan que la cadete no fue entregada a Medicina Legal con el uniforme con que falleció sino con uno nuevo?".

Capitán Orjuela: *"Al día siguiente de la muerte de la cadete Lina Zapata un señor oficial, más exactamente el señor mayor Salvador Gutiérrez, comandante de la compañía Carlos Holguín, me solicita que lo acompañe a un sitio, al interior de la Escuela General Santander, bien apartado. Llevaba una bolsa negra, me dice que lo acompañe y me manifiesta que allí al interior llevaba las prendas, uniforme y prendas íntimas de la cadete Lina. Le pregunto ¿Mi mayor y qué va a hacer con eso? No, toca desaparecer estas prendas, incinerar estas prendas. Llevó gasolina y el mecanismo para encender estas prendas. Solamente estuvieron allí el señor mayor Salvador Gutiérrez y quien les habla como capitán, siendo subalterno del señor mayor. Me Pareció extraño, le pregunto, mi mayor y ¿Por qué hacen esto, qué sucede,*

13. Entrevista de la periodista Nancy Sáenz del Noticiero de La FM de RCN Radio al capitán Edwin Alejandro Orjuela, comandante de sección de la Compañía Carlos Holguín de la Policía en 2006 en la Escuela General Santander, fue publicada el 23 de noviembre de 2015 en el programa noticioso en la mesa de trabajo (Vicky Dávila, directora para la fecha).

por qué no se le entrega estas prendas a la familia? Porque a mí me delegaron ese día de recibir a la familia, a los padres para entregarles las botas altas, unos accesorios que hacen parte de los cadetes y alféreces, dentro del proceso de formación. Estas prendas, vuelvo y repito, fueron incineradas por este señor oficial. Pregunté ¿Quién dio la instrucción por qué no las devuelven? Dijo no, estas son instrucciones del señor director de la Escuela General Santander. Inclusive esta información yo se la entregué a la familia de la cadete Lina, a los padres que tengo entendido salieron del país por amenazas".

Mientras paga su condena, Orjuela asegura que aunque habló personalmente con el general Jorge Daniel Castro, director de la Policía, sobre los graves hechos, a los pocos días el director de la Escuela, a pesar de los señalamientos contra él, fue trasladado a un cargo superior y él, como denunciante, fue sacado a vacaciones, tras ordenar su traslado a Nariño, acción que logró frenar. Luego terminó envuelto en el extraño caso de secuestro que lo tiene preso, sin recursos jurídicos disponibles para su defensa.

Todos los uniformados, incluso oficiales, que se han enfrentado a la peligrosa red de prostitución homosexual en la Policía han terminado en malas condiciones o muertos, pero sus integrantes permanecen libres y sin mayores problemas judiciales.

Otro de los que señala al coronel Castellanos de graves hechos, incluso de violación, es el capitán Ányelo Palacios, quien asegura además que la cadete Lina Maritza lo animó para que denunciara lo que le había sucedido.

De nuevo el coronel Jerson Jair Castellanos aparecía como victimario. La historia está llena de macabros episodios que él ha denunciado. El capitán aseguró que Castellanos lo violó con otra persona y desde entonces su vida en la Escuela se convirtió en un infierno. Recientemente se vio envuelto en una historia de secuestro que aún está en averiguación y pocos días después sufrió un accidente de tránsito.

La Fiscalía le ofreció ingresar al programa de protección de testigos para que cuente lo que sabe sobre la "Comunidad del

Anillo" y las relaciones de la red con el Congreso y con importantes oficiales de la Policía.

Como todas las víctimas y testigos mencionan al coronel Jerson Jair Castellanos, como el jefe de la red de prostitución; periodísticamente lo que procedía era buscarlo, escuchar su versión y confrontarlo.

La Fiscalía General de la Nación lo llamó a interrogatorio por los hechos de la "Comunidad del Anillo", al día siguiente de las publicaciones del equipo de La FM en noviembre de 2015. Los investigadores aseguran que en una de esas diligencias, el coronel Castellanos estalló en llanto ante las contundentes y comprometedoras preguntas de los fiscales.

Su nombre era muy popular en la Policía y en el Congreso, tanto como su poder. Quienes lo conocen dicen que siempre estaba rodeado de jóvenes y guapos estudiantes de la Escuela General Santander.

Una mañana logramos contactarlo para que respondiera por todas las acusaciones que le hacían quienes se habían presentado ante las autoridades como sus víctimas. Su tono era natural, a veces sonreía como nervioso, para quienes lo acusan, sus respuestas estuvieron cargadas de cinismo y mentiras[14].

> **LA FM:** "Muchos testimonios judicializados en la Fiscalía lo señalan a usted como el gran promotor de la llamada "Comunidad del Anillo" en la Policía".
>
> **Coronel Castellanos:** *"En realidad acusar es supremamente fácil y armar el alboroto y sicariarlo a uno moralmente es muy fácil... Yo creo que hay un gran error porque la gente que acusa no lleva una prueba... Yo soy un hombre casado hace 20 años, no soy un soltero por ahí vagabundo como lo han querido decir, ni prostituto ni nada de eso. Soy un hombre de hogar, serio, trabajador... Por eso si la*

14. 6 de noviembre de 2015, entrevista en vivo de la mesa de trabajo del Noticiero de La FM de RCN Radio al coronel en retiro Jerson Jair Castellanos, exjefe de seguridad del Congreso, publicada en la mañana en el programa noticioso (Vicky Dávila, directora a la fecha).

Fiscalía me llama, allá estaré y si considera que me debe sancionar, pues será así".

LA FM: "Los alféreces dicen que usted los sacaba de la Escuela y que terminaban hablando con usted en el Congreso de la República ¿Eso es cierto?".

Castellanos: *"Cuando yo hablaba con ellos era cuando iban allá y hacían favores, pero no sexuales y de ese tipo, sino favores de protocolo".*

LA FM: "Los denunciantes hablan de dinero, que usted les daba, que era bien generoso, desde 100 hasta 300 mil pesos, alguno de ellos dice que alguna vez le dio un millón 300 mil pesos. ¿Es eso cierto?".

Castellanos: *"No, carreta, puro cuento, fantasías. Nunca le di plata a nadie, si yo le doy plata le pongo una letra porque es que aquí lo roban a uno muy fácil. Nada, no pasó por ahí de una hamburguesa o algo y soy honesto en eso. No, eso no es cierto, si es que el sueldo mío era de tres millones y con qué comía entonces mi familia, con qué pagaba los colegios y yo con qué me vestía. No, eso es carreta, decían que yo les había regalado un carro. Ese carro yo se lo vendí a un coronel porque necesitaba una plata, decían que había regalado una cuatrimoto y tampoco aparece. Yo quiero que muestren los regalos porque dicen que di regalos, pero nadie los muestra".*

LA FM: "Coronel, usted cree que se concertaron los alféreces para hablar de usted en el 2006, es que es bastante extraño que todos lo involucren en lo mismo".

Castellanos: *"Ninguno puede decir es que se acostó conmigo, me violó, absolutamente. Que se abra la tierra y me coma si estoy diciendo mentiras y algún día usted dirá el tipo tenía razón".*

La FM: "¿Usted fue a restaurantes con alumnos de la escuela, estuvo compartiendo incluso en el aeropuerto o en el Parque de la 93, como ellos dicen?".

Castellanos: *"Es cierto que fueron al Parque de la 93... Ellos fueron, pero a recoger las boletas (que les regalaba) yo no sé por qué* *ellos dicen otras cosas. Yo quisiera de verdad que muestren la foto, el video, porque me parece absurdo".*

LA FM: "El capitán Ányelo Palacios dice que usted lo violó".

Castellanos: *"No, en absoluto. A mí sí me gustaría que él presentara una prueba... Yo no entiendo cómo un oficial a estas alturas dice que lo violaron, que le dolían sus partes íntimas, que tenía sangrado. Yo lo mínimo que hago es que me voy al gastroenterólogo para que me revise a ver por qué tengo sangrado. O si me violan me voy para la Fiscalía y a Medicina Legal para que me hagan un examen".*

LA FM: "También hay que comprender coronel, el miedo, es que cuando hay línea de mando el miedo es algo tenaz".

Castellanos: *"Dirán, este es un pobre tonto, porque eso es lo que yo he sido, una buena persona y por eso me han confundido. En esa época por ejemplo, yo decía venga cuánto valen los cafés, yo los pago, una hamburguesa, por ejemplo, ellos no ganaban y yo la pagaba. Y lo otro de Ányelo, ¿cómo va a decir eso? ¿Por qué no presentó las pruebas? Hablan de un derrame, que le dio, pero me he informado que él se hizo una liposucción y a raíz de eso le dio un trombo. Pero yo no sé por qué él al día de hoy quiere salir con ese carretazo y esa infamia contra mí y mete a mi general...".*

LA FM: "El capitán Ányelo dice que usted le ofreció presentarle al general Palomino para que se portara bien con él".

Castellanos: *"A mí me da risa en medio de mi miedo, porque a mí todo esto me da miedo, no crea que estoy muy campante. ¡Cómo se le ocurre! Con mi general Palomino para serle honesto si tuve cinco saludos en los veinte y pico de años con él, fue mucho, pero uno no se va a poner en esas tonterías. Es que él no era ignorante, él es policía".*

LA FM: "Coronel, ¿cuál es su relación con el exsenador Carlos Ferro?".

Castellanos: *"Al doctor Ferro lo conocí cuando él reemplazó a la doctora Leonor Serrano, pertenecía al mismo grupo, algo así. Y lo saludé* *en tres oportunidades, doctor Ferro buenos días, buenas tardes. Pedía favores de apoyos, de cambios, o que iba para Choachí para no sé dónde, para todos esos pueblos que ellos visitan, entonces pedía el favor que le reforzaran la seguridad en esos pueblos. Pero de resto no".*

LA FM: "¿Es cierto que a usted en el Congreso le decían Carlos Amparo?".

Castellanos: *(Risas)... "No nunca, por lo menos yo no lo supe".*

El coronel Castellanos quien era en 2006 el jefe de seguridad del Congreso, salió de la Policía en pleno escándalo por la "Comunidad del Anillo" y durante nueve años gozó de impunidad total. Pero ahora la Fiscalía cree que él tiene más información sobre los beneficiarios de la red de prostitución y espera que colabore con la justicia.

LA FM: "Coronel creo que la Fiscalía hace un llamado para que todas las personas que dicen ser víctimas suyas, cuando usted estuvo en la Policía Nacional, se acerquen y declaren porque lo cierto aquí, es que usted es el único llamado a interrogatorio".

Castellanos: *"Pues sí, en medio de todo lo tortuoso que ha sido para mí, llevó diez años de tortura, no crean que ha sido fácil, yo no me he escondido para nada. Ni la Procuraduría, ni la Inspección de la Policía, porque la Inspección en su momento investigó, la Procuraduría, la Fiscalía. Hay un expediente grande y hay unas conclusiones y todo. Esto no es que me hayan tapado a mí nada... Termina uno muy confundido, muy asustado, como los perros cuando les van a pegar. Créame que no le da a uno un infarto porque mi Dios es muy grande".*

LA FM: "¿Es cierto que usted ha llorado mucho al destaparse todo esto?".

Castellanos: *"Yo sí he llorado, claro, porque soy ser humano y tengo familia y me ha dolido muchísimo... Llevo sin exagerar ocho* *años sin pasar una noche durmiendo bien. Es una tortura y una pensadera que la niña, que hay que hablar con ella. Esto para mí ha sido supremamente doloroso y tortuoso, pero hay que esperar los designios de mi Dios".*

LA FM: "Usted nos dice que no tuvo nada que ver con estos alféreces. Por eso le pregunto: ¿Si por esa época, en el 2006 que usted estuvo allá, escuchó hablar de la "Comunidad del Anillo?".

Castellanos: *"No, es que en la Policía se maneja mucho apodo. A mí eso me da hasta risa, me causó mucha gracia también porque me decía un policía: 'mi coronel sabe por qué le pusieron así, porque en esa época estaba de moda la película del señor de los anillos y un coronel de esos que hay por allá chistosos, le puso ese remoquete'. Eso fue todo, pero yo decía, ¿Pero cuál 'comunidad' y quiénes son los de la 'comunidad'? Porque a mí es el único que me han metido, pero quiero saber el nombre de quiénes más son".*

LA FM: "¿Conoció usted a la cadete Lina Maritza Zapata, quien perdió la vida en la Escuela y que inicialmente dijeron que se trataba de un suicidio, pero la Fiscalía tiene dudas sobre eso?".

Castellanos: *"Yo creo que la conocí, pero en realidad no la tengo presente porque ella no estaba conmigo ni nada y que ella haya descubierto algo de la comunidad, pues tampoco lo sé porque yo no era ni el jefe de ella, ni nada, no compartía nada con ella".*

En la misma semana de mi salida de La FM, Noticias Caracol publicó en primicia la historia de un congresista que supuestamente en 2008 acosaba sexualmente a sus escoltas policías que le habían asignado y a los cuales les habría exigido sexo a cambio de ayudarlos en sus ascensos. El senador Hernán Andrade, presidente del Senado en el momento de los hechos reconoció que el propio general Óscar Naranjo como director de la Policía lo alertó de lo que estaba pasando con sus hombres. Andrade no denunció ante las autoridades competentes, y el hecho quedó en la impunidad. El parlamentario señalado negó las acusaciones.

Durante los meses que duraron las investigaciones periodísticas de La FM, el Gobierno y los altos mandos de la Policía siempre negaron, entre otras denuncias, la existencia de la "Comunidad del Anillo". Sin embargo, dos días después de que publicáramos el video sexual grabado por el capitán Ányelo Palacios, donde aparece con el exviceministro Carlos Ferro, el ministro de Defensa Luis Carlos Villegas reconoció por primera vez la existencia de la red de prostitución en la Policía. Eso sí, sin hacer una sola investigación, absolvió a los altos mandos[15].

> **RCN:** "¿Con la información que usted tiene puede decir hoy que hay algunos miembros de la Policía vinculados a alguna red de prostitución?".
>
> **Luis Carlos Villegas:** *"Yo creo que en este momento no. Creo que ese fue un tema que aparentemente existió, tuvo vínculos internos de la institución y a un nivel relativamente alto, pero que hoy no tenemos ninguna evidencia de que siga funcionando. Inclusive, ese fenómeno pareciera haber sido erradicado de la Policía hace casi ocho o nueve años. Hoy tengo yo esa tranquilidad. Hacia el pasado, lo que se ha investigado, apunta a que sí era una red de la cual no tenía —por supuesto— conocimiento la dirección, ni de ese momento, ni la que salió, ni la que acaba de entrar, pero que sí funcionó durante un tiempo haciéndole gran daño a la institución".*
>
> **RCN:** "¿Es decir, funcionó y estaba de alguna manera prostituyendo a miembros de la Policía?".
>
> **Villegas:** *"Mi respuesta es hacia atrás, hace unos años creo que sí existió, hoy creo que no".*

---

15. 18 de febrero de 2016, entrevista de la mesa de trabajo de RCN Radio al ministro de Defensa Luis Carlos Villegas, directora Yolanda Ruiz, publicada en el horario de la mañana del programa noticioso.

Lo cierto es que si las investigaciones en la Fiscalía y la Procuraduría no han concluido, ¿Por qué el Gobierno se aventura a absolver y disculpar a algunos altos oficiales, sin tener los resultados de las indagaciones? ¿Qué más sabe el Gobierno? ¿Lo hace por conveniencia para evitar el escándalo? ¿La "Comunidad del Anillo" sigue viva? ¿Por qué es tan peligrosa? ¿Quiénes están detrás? El país necesita saber la verdad y que se haga justicia.

Capítulo IX

Máximo riesgo

"¿Mami dime si nos van a matar?". Esa pregunta de mi hijo Simón me duele cada vez que la recuerdo o cada vez que me la repite. Simón tiene 14 años y lleva la mitad de su vida conviviendo con lo bueno y lo malo de mi trabajo. A pesar de eso, nunca habíamos vivido una situación con tanta tensión en la familia por cuenta de mi oficio.

Tengo por norma no mentirles a mis hijos, pienso que si lo hago, mañana ellos tendrían licencia para decir mentiras. Por eso, ante la insistencia de Simón, he tenido que reconocerle varias veces, con mucha culpa, que las denuncias que hicimos en La FM contra el general Rodolfo Palomino y su gente, nos pusieron en serio riesgo a todos.

Siempre trato de calmarlo: "No nos van a matar Simón, estamos haciendo lo que hay que hacer, tu mamá ha hecho lo correcto". Pero en el fondo de mi corazón, sé que le he mentido.

Que he moderado la verdad porque es incierto lo que pueda ocurrir, no solo con su mamá, si no con su papá, con él y con su hermanito.

De hecho, durante los días en los que me llegaron los anónimos anunciando las chuzadas y los seguimientos ilegales, quien me escribió me confirmó que quienes nos espiaban, tenían muchas fotografías de mis hijos y su papá.

No sé cuál pueda ser la intención final, pero tengo la certeza que no los tienen identificados y ubicados para algo bueno.

Es muy difícil criar a los hijos con temor. Infortunadamente los míos se han criado así, pero además han tenido el ejemplo de la templanza y el cumplimiento del deber siempre.

Desde que comenzamos las denuncias contra la Policía los días se iban haciendo más intensos. En las últimas semanas de diciembre del año pasado, en medio del escándalo una tarde, cuando mis hijos llegaban de estudiar y mi esposo de trabajar, la casa se llenó de investigadores del CTI de la Fiscalía, quienes con aparatos electrónicos buscaban micrófonos por todo el apartamento. Jose, mi esposo, se veía estresado con aquella actividad, estaba incómodo.

Simón tenía carita de angustia, tanto, que esa noche lo abracé cuantas veces pude para darle seguridad. Salomón por su parte, saltaba por todos lados, agitado con tantos visitantes extraños, solo tiene 4 años, en varias ocasiones me preguntó: "¿Mami hoy qué dijeron los generales?".

Siempre lo miro con ternura y fascinada con su inocencia, aunque me duele no saber qué de toda esta pesadilla se le ha quedado en la cabecita.

Jose, ha sido fundamental como soporte, su calma, su silencio oportuno y su actitud sin aspavientos se han convertido en mi polo a tierra. Siempre tendré por él, no solo un amor inmenso, sino una gratitud infinita porque sin su compañía cómplice y prudente el camino sería incierto. Mi mamá y el resto de la familia han estado allí como siempre para acompañarme, para darme ánimo.

Saber que otros nos escuchan y saben de nuestros movimientos las 24 horas del día es intimidante. Desde que vi los correos anónimos empecé a convivir con una especie de vacío en el estómago que no he podido controlar. Es el seguimiento de una sombra que siempre está ahí.

Estábamos de vacaciones, viajé con mi familia a Santa Marta, allí no pude salir del apartamento durante por lo menos ocho días, estaba tan atemorizada que prefería proteger a mis hijos, como lo hacen las gallinas con sus pollitos.

En realidad entré en un estado de terror que me obligaba a dormir todos los días con los niños, los cuatro en el mismo cuarto, en la misma cama. Eso nos permitía estar más calmados. Luego los días de año nuevo fueron más llevaderos; por tranquilidad de todos tuve que bajar la guardia.

Días antes de estallar el escándalo, cuando comenzamos con las primeras revelaciones, Simón me dijo en secreto que tuvo la sensación que lo seguían en una camioneta de vidrios oscuros, mientras jugaba basquetbol en una cancha pública, cerca a la casa. Yo sentí un nudo en la garganta e intenté espantar sus temores asegurándole que eso era imposible. Seguro, el niño tenía razón.

Han sido meses de mucha zozobra. Especialmente porque de manera increíble y sin ninguna explicación se volvieron habituales las visitas de policías al edificio donde vivimos en Bogotá. La otra noche el guarda de seguridad llamó por el citófono advirtiéndome sobre la presencia de dos uniformados en la portería; los hombres querían que yo bajara a firmar una planilla de supervisión.

Me pareció muy extraño. El jefe de mi esquema de seguridad abordó a los patrulleros y estos le aseguraron que solo querían saber si yo estaba en la casa y que si estaba bien. Nadie quiso darles la información y se fueron. Asustada, envié un mensaje de advertencia en el twitter sobre la visita que acababa de recibir. En últimas, las redes sociales son una especie de seguro de vida, una herramienta de denuncia muy efectiva.

Solo unos minutos después se comunicó conmigo el general William Salamanca, de la Dirección de Protección. Me juró que él no había ordenado las visitas de los policías a mi residencia. Con él nos habíamos conocido el año anterior, cuando el oficial me había alertado sobre un supuesto plan del Eln para hacerme daño.

En una segunda llamada Salamanca aseguró que las visitas que me hacía la Policía tenían que ver con un plan preventivo que estaba en marcha, "para proteger a los generadores de opinión, a los famosos y a los ricos en todo el país".

Se comprometió a que el comandante de la Policía Metropolitana de Bogotá, general Hoover Penilla, nos hablaría al día siguiente en el programa para explicar aquella extraña visita y digo extraña por la rara coincidencia, que en medio de amenazas hacia el equipo periodístico de La FM y las denuncias de nosotros sobre las chuzadas y seguimientos, la Policía, que estaba comprometida en el caso, ahora se interesara por cuidarnos de una manera tan "efectiva". Siempre he creído que la aparición sorpresiva de los uniformados por mi casa era un mensaje que pretendía asustarme más.

El general Penilla ratificó lo que me había dicho el general Salamanca. Pero cuando le pregunté quiénes eran los otros periodistas a los que visitaban, solo respondió: "No sé".

Decidí, por medio de un derecho de petición, preguntarle al director de la Policía, general Rodolfo Palomino, si él había ordenado las visitas de los uniformados a mi lugar de residencia. El general aseguró que todo tenía que ver con las amenazas del Eln en mi contra y que solo buscaba protegerme. Una versión contradictoria, si la comparábamos con lo que dijeron sus subalternos.

¿Por qué el general Salamanca no sabía, si él mismo me alertó sobre el supuesto plan del grupo guerrillero contra mí?

A pesar de mi denuncia, las visitas de la Policía a mi casa continuaron; era evidente que lograban llenarnos cada día de más temores. ¿Qué buscaban? Quizás dejarme un mensaje: la seguimos controlando o qué fácil es llegarle a usted y a los suyos.

Otra noche los escoltas detectaron frente al edificio a un patrullero, que ya en otra oportunidad había ido a buscarme, estaba al otro lado de la vía solo y uniformado.

Su presencia aumentaba mi zozobra.

Cuando lo abordó la seguridad, dijo que estaba haciendo un retén para motociclistas. Estaba sin compañía, no había conos, ni material alguno que indicara un operativo vial, el policía no pertenecía al tránsito, pertenecía al CAI del barrio Rosales. Al verse descubierto, el uniformado paró a dos motociclistas, les pidió documentos y se fue. Ese día nadie explicó nada.

Pero ese hostigamiento no solo era para mí, también lo padecieron algunos de mis compañeros de trabajo y de denuncias. Todo era turbulento y oscuro.

Si era cierto que en la Policía estaban los sospechosos de seguirnos e interceptarnos ilegalmente, resultaba incomprensible que ahora intentaran protegernos de ellos mismos. No había confianza.

Las restricciones para los niños y para nosotros los adultos de la casa, se volvieron más complejas e incómodas. Mis hijos iban solamente al colegio y nosotros prácticamente salíamos a trabajar y regresábamos lo antes posible. La recomendación de la seguridad era evitar en la medida de lo posible los sitios públicos y las salidas innecesarias. Estábamos prácticamente confinados en una especie de casa por cárcel.

Las giras de La FM por todo el país se convirtieron en un dolor de cabeza por nuestros problemas de seguridad, era difícil contar como siempre con la Policía.

El golpe más duro que sufrió mi familia fue el día que regresé de la reunión con los directivos de RCN después de publicar el video. Reuní en la sala a mis dos hijos y a mi esposo y les dije sin rodeos que ya no tenía trabajo. Fue un momento de tensión y silencio donde todos con sus miradas tristes y solidarias me dieron todo su amor. Después fue el abrazo de los cuatro.

Desde ese momento he sentido más cerca que nunca a mis hijos, a mi esposo, a mi mamá y a mis hermanos, todos han sido muy protectores.

Quedarme sin trabajo, y más de ese modo, fue para mí una tragedia en muchos sentidos. Durante semanas estuve sumergida en la tristeza. Fueron muchas horas de una intensa evaluación personal. Además de la difícil tarea de volver a empezar mi vida, sin el agite y la pasión diaria de las noticias. Prefería estar dormida que despierta, mis sueños eran repetitivos y constantes regresando con mi equipo de trabajo y hablando con mis jefes, como si nada hubiera sucedido.

Durante esos días de soledad y cientos de inquietudes, regresó con toda claridad a mí una pesadilla que tuve meses atrás, incluso antes de mi salida de Noticias RCN donde presenté la emisión de las siete de la noche durante 18 años. Fue un sueño premonitorio que en su momento no entendí.

Era de noche, al frente estaba el mar, quieto e inmenso, en el centro, como saliendo del corazón del agua, se veían dos rascacielos iluminados, uno más alto que el otro. De pronto todo fue caos, se derrumbó el primero, no alcanzaba a reponerme cuando quedó sepultado el segundo. El mar volvió a estar tranquilo, mientras yo sentía un dolor profundo; allí estaba toda mi familia. Los había perdido, estaba sola. Sentí el fin mientras dormía. Pero cuando todo era negro para mí, en el horizonte vi la imagen de uno de mis hermanos, corrí hacia él, lo abracé fuerte, volví a tener esperanza y me desperté en medio del llanto. Respiré hasta el fondo y agradecí que solamente fuera una pesadilla. Me había salvado.

Unas semanas después se me caía el primer edificio, tuve que irme de Noticias RCN. El otro edificio se derrumbó el día que salí de La FM y claro, el golpe no lo sufrí sola, también mi familia que dependía en gran parte de mi trabajo. Me sentí acabada, a oscuras y sin un futuro esperanzador. Luego esa misma familia me devolvió poco a poco las esperanzas y las ilusiones.

Siempre he tenido un respeto especial por los sueños, pues para mí son un momento crucial que lleva a las personas a una dimensión desconocida. En este caso, el mal sueño se me cumplió al pie de la letra.

El 18 de febrero de 2016 fue mi primer día sin hacer radio. Fuera del aire y lejos de quienes habían emprendido conmigo la lucha por destapar la verdad. Me levanté muy confundida. Salomón, mi hijo más pequeño, me esperaba para que nos bañáramos juntos, lo hice con amor, pero sin que mis pensamientos se apartaran de lo que había sucedido. Cuando le echaba el champú, en medio de la ducha, me miró como los adultos cuando reclaman la verdad y me dijo: "¿Mami te botaron?". Le contesté rápido, pero me esmeré por explicarle que su mamá había hecho lo correcto y que aunque resultara inexplicable, por eso me había quedado sin trabajo. Nunca más volvió a preguntarme sobre eso.

Espero que cuando los años pasen mis hijos entiendan que hice lo que me tocaba como periodista y no lo que me convenía como empleada cómoda, sorda y ciega ante su misión. Tampoco me incliné por apoyos o simpatías que me sostuvieran en el puesto.

Los días siguientes fueron de desvelos que poco a poco fueron encontrando el sueño tranquilo y reparador; las labores de mamá me coparon el tiempo y dediqué largas horas a escribir y a entender lo sucedido.

Debo confesar que en los primeros días de desempleada, ante el escándalo y la tormenta que se desató en los medios y las redes sociales, tenía temor de ir a la calle. Era como ese ejercicio tortuoso que uno hace cuando le corresponde enfrentar el agua helada bogotana en la madrugada. Uno mete tímidamente las manos, después los pies con angustia y escalofrío y más tarde por la presión del tiempo toca aguantar esa especie de corrientazo que cala y mojarse totalmente.

Así fueron mis primeras salidas, poco a poco, con miedos y escalofríos. Asustada por los posibles insultos o agresiones físicas comencé a dar mis primeros pasos en un mundo que creía totalmente hostil hacia mí. Iba de prisa y a lo indispensable. En ese proceso fue fundamental la gente. A muchas personas que encontré, en los bancos, en los supermercados les agradezco como nunca sus palabras de aliento. Sentí respaldo y cariño entre personas que nunca había visto. Esa gente espontánea y cariñosa me devolvió la confianza.

Otra de las lecciones que he aprendido, es la de los amigos. Muchos de ellos, incondicionales en los buenos momentos, simplemente no volvieron a aparecer, ni siquiera con una razón o un mensaje de texto. Se esfumaron.

Agradezco a muchos conocidos y funcionarios de todos los niveles del Estado que se hicieron presentes con una llamada o un mensaje escrito de solidaridad y aliento. Los de siempre, Clara Elvira Ospina, Daniel Coronell, María Isabel Rueda y Camilo Chaparro, me escucharon ¡tantas¡ horas durante los días más difíciles. Jamás tendré cómo pagarles por su tiempo, su cariño, sus consejos y su paciencia.

El equipo de periodistas de La FM estuvo firme. Dejarlos, sobre todo así, me dolerá toda la vida. Les reconozco plenamente su valor, amistad y trabajo. Unos fueron más especiales que otros; eso es apenas normal. Solo algunos pocos, por fortuna, me dieron la sorpresa de la ingratitud. Reafirmé en mi corazón una certeza: la familia es lo único que realmente tenemos cuando estamos en los malos momentos.

Capítulo X

Policía al límite

El general Rosso José Serrano llegó a la dirección de la Policía en 1994 y allí permaneció hasta el año 2000; poco tiempo después de asumir el cargo se convirtió en un ídolo en el país. Audaz y de malicia campesina, rápidamente la DEA y varios países empezaron a aplaudir su labor. Serrano fue implacable con los carteles de la droga y les seguía los talones a los capos del Cartel de Cali, que fueron cayendo uno a uno.

Estábamos frente al "mejor policía del mundo".

Desde su llegada a la institución también se la jugó por limpiar la Policía. Por medio del decreto de discrecionalidad llamó al retiro a miles de uniformados cuestionados. Entre una nube de periodistas regionales, esa mañana en Cali, Serrano respondió una a una las preguntas que le hacía una reportera muy joven, con el pelo ondulado y hasta la mitad de la espalda, sin gota de maquillaje, en jeans, con zapatos de goma y actitud de veterana, a pesar de su corta edad.

Esa reportera era yo, tenía 21 años y trabajaba en Notipacífico, el noticiero del fin de semana del canal regional en el Valle del Cauca, donde cubría orden público y presentaba las noticias. Serrano fue deferente y tras el reportaje, me saludó muy amable y cariñoso.

Meses más tarde nos volvimos a encontrar en Bogotá, el noticiero TV Hoy me había contratado y pocos meses después hacía parte del equipo de periodistas de QAP Noticias, una época definitiva en mi formación como reportera, al lado de "Las Marías", María Isabel Rueda y María Elvira Samper, unas periodistas excepcionales y maestras del oficio.

Como reporteros nos enseñaron a ser agudos y atrevidos, pero ante todo nos dieron lecciones de rectitud y dignidad para ejercer el periodismo. Todavía recuerdo la mesa larga donde cabíamos todos los jóvenes reporteros que integrábamos la redacción del exitoso noticiero de televisión, fue allí en ese salón y en medio de decenas de consejos editoriales que "Las Marías" nos enseñaron a actuar con convicción y criterio, ellas se enfrentaron decididas y valientes a un Gobierno elegido con dineros del narcotráfico, siempre lucharon por la verdad, nunca nos censuraron, jamás las vimos pensando en lo que convenía al negocio a la hora de informar y siempre nos dieron ejemplo de trabajo, dedicación y disciplina.

Desde entonces conocí la Policía como a la palma de mi mano. Recorrí miles de kilómetros en aquellos operativos de allanamientos espectaculares contra los narcos al lado del general Luis Enrique Montenegro Rinco, subdirector de la institución en esa época.

Me subí en todos los helicópteros y aviones de la Policía. Esperé días enteros, antes de confirmar una noticia, sentada a veces en las escaleras de la sede principal y vi cómo se llenaban los cuatro pisos de la dirección general para aplaudir a Serrano y a Montenegro cuando presentaban ante la prensa a los narcos más buscados en el país. Una época dorada de la Policía Nacional.

Siempre en el lugar estallaban los aplausos, como si se tratara de un show artístico y sí que lo era. Los colombianos podían comprobar que el hampa caía. Hubo unos que no me volvieron a hablar porque tuve que publicar informaciones en su contra, otros aprendieron a respetarme, a pesar de que era una niña, de esa época conservé algunos contactos.

Fui creciendo como periodista y vi crecer a muchos de los altos oficiales que hoy manejan la Policía. Por eso sé que las pugnas internas entre oficiales siempre han existido. ¡Imagínense! Una institución conformada por hombres con el poder de las armas y la Inteligencia, además, con la misión de hacer cumplir la ley.

Llegar al grado de general es un privilegio de pocos, que se abren paso entre miles de aspirantes que inician la carrera policial. Ser director es tener uno de los cargos con mayor poder en Colombia, por eso no hacer las cosas bien puede tener consecuencias catastróficas.

La Policía venía de estruendosos escándalos, en los que incluso, sus comandantes se habían visto cuestionados por estar relacionados en los narcocasetes que dieron origen al proceso ocho mil, durante el gobierno de Ernesto Samper, como es el caso del general apodado por los narcotraficantes con el alias de "Benitín" y quien fue director de la institución.

En el caso del general Miguel Maza Márquez, controvertido director del Das y quien había pertenecido a la Policía, siempre hubo una sombra por sus supuestas alianzas con el Cartel de Cali con el fin de eliminar a Pablo Escobar; hoy está privado de la libertad y procesado por el magnicidio del excandidato presidencial Luis Carlos Galán.

En fin, Serrano había recibido una Policía señalada y desprestigiada. Con los errores que haya podido cometer "el mejor policía del mundo", la institución había recuperado la credibilidad ante la opinión pública y la autoestima en sus filas.

La Policía pasó a ser la más querida por los colombianos, en medio de una lista interminable de éxitos operacionales. Serrano y su gente desarticularon la organización narcotraficante, montada por los hermanos Miguel y Gilberto Rodríguez Orejuela.

El general Serrano salió de la institución y a pesar de las buenas intenciones de algunos de los directores que llegaron posteriormente, la Policía empezó a caer de nuevo en un desmadre que se notaba en los titulares de los principales medios de comunicación. En cada banda de secuestradores y extorsionistas, en cada grupo sicarial, en cada célula de narcos había uniformados involucrados. La confianza en la institución se estaba perdiendo de nuevo.

En 2007 un poderoso escándalo de chuzadas estalló en la Policía y provocó un verdadero tsunami; Juan Manuel Santos, ministro de Defensa del gobierno Uribe anunció ante los medios la salida de 11 generales, entre ellos, el director, general Jorge Daniel Castro y el jefe de la Central de Inteligencia, el general Guillermo Chávez.

Santos nombró al general Óscar Naranjo como nuevo director; un oficial joven, muy preparado, que se movía como pez en el agua entre los poderosos y que lucía como cualquier diplomático inglés. Su reputación era sólida y tenía el país en la cabeza. Muchos aún hoy aseguran que Naranjo sabe todo de todos.

La Policía volvió a sus buenas épocas. Pronto llegaron los máximos golpes a la guerrilla, en especial contra las Farc: cayeron Alfonso Cano (máximo jefe de las Farc) Raúl Reyes (el canciller de las Farc) y el Mono Jojoy, (jefe militar de las Farc).

De las chuzadas por las cuales cayeron 12 generales nunca se supo más. No hubo condenas, ni sanciones disciplinarias, tampoco se supo la verdad sobre quiénes ordenaron las interceptaciones ilegales contra políticos y periodistas. Con la presencia de Naranjo, las divisiones internas persistían, pero difícilmente prosperaban ante la autoridad y el poder del director y sobre todo ante su exitosa gestión. Naranjo venía de la escuela Serrano y se le notaba, sabía manejar la institución, la política y los medios. Pero su tiempo en la institución también terminó, Naranjo se fue y la Policía volvió al desorden.

En especial, empezó a renacer la sombra de la corrupción, que parecía una constante; los enemigos de Naranjo siempre trataron de vincularlo con la mafia. Pero jamás hubo prueba alguna en su contra. Cuando la dirección de la Policía estaba en manos del general José Roberto León Riaño, el hombre de la seguridad por cuadrantes, las informaciones sobre corrupción se tomaron con anónimos las redacciones de los medios más importantes. Muchos policías estaban inconformes.

En junio de 2013 La FM tuvo acceso a una explosiva comunicación interna del general con sus hombres en todo el país, a través de una video conferencia.

"Ustedes escucharon al señor presidente, préstele atención a esos paros, póngale cuidado a la inteligencia... porque miren, los paros van escalando, no hacen nada... No, que esperar a la mesa de diálogo, que esperar... No, no se puede dejar bloqueos por favor".

"Con razón la gente extraña mucho al presidente Uribe... El presidente Uribe, sucedía un secuestro y el comandante a la hora estaba en el sitio donde fue el secuestro y dirigiendo operaciones para rescatarlo, había un bloqueo y a la hora estaba desbloqueado, no se admitían bloqueos en las vías... Hoy no, hoy bloqueamos en todos lados y no, esperar y esperar y el bloqueo va escalando y va escalando y después es muy complejo para solucionarlo... Nos queda grande, mejor dicho. Nos ha pasado de una manera reiterativa y después 'no, esperar a que pase el paro para ver en qué fallamos', lo cual sería tarde".

El general León Riaño también dijo que el país estaba más inseguro que antes. Después de la publicación, el general permaneció en su cargo solo un mes más.

Cuando León Riaño se vio descubierto, llamó a mi celular a reclamarme: "Cómo se le ocurre haber publicado una cosa de esas", me dijo a los gritos.

"Primero que todo a mí no me hable así que yo no soy subalterna suya y segundo, porque no se pregunta mejor, cómo se le ocurre a usted hablar así". Después de unos minutos, el general se calmó, yo también.

Hoy en la Fiscalía no hay resultados de las denuncias contra él y su hermano Janio, quien se desempeñó casi siempre en cargos de manejo de presupuesto, como el de planeación. Su otro hermano, Reinaldo, solo llegó al grado de mayor.

Estas denuncias anónimas iban desde supuestas irregularidades en exceso de condecoraciones con premios en dinero, hasta el supuesto direccionamiento de contratos millonarios. La Policía necesitaba urgente un timonazo y por eso a pesar de las presiones internas, el gobierno escogió como director de la institución al general Rodolfo Palomino, "Su hombre en el camino". Quienes lo conocen dicen que su carisma hacia fuera distaba mucho de su actitud déspota y autoritaria con sus subalternos, su nombre quedó grabado en una de las épocas más penosas para la Policía Nacional.

Curiosamente, al igual que los León Riaño, los Palomino son reconocidos en la institución porque son tres hermanos. Los coroneles José Luis y Jorge Evelio y Rodolfo el general, es el mayor. El coronel José Luis Palomino sonó en el escándalo de 'usted no sabe quién soy yo' que protagonizó el capitán John Lasso, hombre de confianza de Palomino.

Asumió este año como comandante operativo de Barranquilla, una de las plazas más importantes en Colombia. Jorge Evelio, denunciado por la capitana Tania Rodríguez por supuestas irregularidades en la contratación en la escuela de Vélez, Santander, en medio del escándalo permanecía adscrito al Ministerio del Interior.

Tras acudir a la Fiscalía con sus denuncias contra el hermano de Palomino, la oficial fue destituida.

La falta de autoridad de Palomino por los múltiples cuestionamientos en su contra alimentó las pugnas internas. Muy rápido el general Luis Gilberto Ramírez Calle, segundo hombre en antigüedad en la Policía, se convirtió en el referente de esas fuerzas poderosas que supuestamente pujaron para quedarse con la dirección de la Policía.

Aunque su nombre desde el principio fue relacionado con un supuesto complot contra Palomino, el presidente Santos parecía protegerlo por ser su hombre de confianza, su secretario de seguridad. Fuentes de Palacio me contaron que el general Naranjo tampoco confiaba en Ramírez y que tuvieron una mala relación cuando Naranjo era director. Ramírez también había sido jefe de Inteligencia cuando Santos estaba en el Ministerio de Defensa y lo acompañó en sus éxitos operacionales más importantes contra la guerrilla y el narcotráfico. Nadie dudaba de que en algún momento podía convertirse en el jefe de la Policía.

Pero el apoyo se debilitó y 25 días antes de que Palomino saliera de la dirección de la Policía, Ramírez con 35 años de servicio, tuvo que irse de la institución por la puerta de atrás, en medio de muchos señalamientos y dudas que todavía hoy no tienen respuesta. En un frío decreto presidencial firmado el 21 de enero de 2016 por la doctora María Lorena Gutiérrez, Palacio informó que el oficial había solicitado el retiro un día antes. Nadie explicó las razones por las cuales el general Ramírez Calle pasó al retiro, lo cierto es que incluso, el presidente ordenó acabar con la secretaría de seguridad como dependencia.

¿Qué fue lo que hizo mal el general Luis Guillermo Ramírez Calle? ¿El oficial tenía algo que ver con los escándalos que sacudieron a la Policía durante cuatro meses? ¿El presidente descubrió algo? Si fue así ¿Por qué Santos no le contó al país y no denunció a Ramírez ante las autoridades? ¿Todo fue solo especulación?

Algunos llegaron a relacionar a Ramírez Calle con las chuzadas y seguimientos a periodistas, pero no existe una investigación formal en su contra por esos hechos. ¿Con el cierre de su oficina se murieron las evidencias? ¿La verdad quedó sepultada? El cargo del secretario de seguridad o edecán del presidente en Colombia ha estado perseguido por los escándalos.

En el gobierno Samper el coronel Germán Osorio terminó cuestionado en el proceso 8 mil, después del asesinato de la 'Monita Retrechera' Elizabeth Montoya de Sarria.

El coronel Royne Chávez murió hace dos años, trabajó para el presidente Andrés Pastrana y protagonizó varios escándalos, terminó en la cárcel condenado por enriquecimiento ilícito.

El gobierno de Álvaro Uribe no fue la excepción, el general Mauricio Santoyo, quien lo acompañó durante largos años terminó preso en los Estados Unidos por narcotráfico y las investigaciones demostraron su apoyo a grupos paramilitares Su sucesor en el cargo, el general Flavio Buitrago, también fue a la cárcel por enriquecimiento ilícito.

Para el Gobierno sería muy grave que se comprobara que las órdenes de chuzar a los periodistas fueron dadas por el general Palomino como director de la Policía, pero más grave aún si el hombre que le manejaba la seguridad al presidente estuviera involucrado en el ilícito. 20 días después de la salida de Ramírez, Palomino también dejó su cargo, como quien dice la dirección de la Policía, "ni para Dios, ni para el Diablo".

Siempre fui cercana a la Policía por mi trabajo como reportera, mi admiración por la institución ha existido desde que tengo memoria, como directora de La FM siempre me preocupé de manera especial por todos aquellos uniformados que no tienen quién los escuche, que viven inconformes por el enriquecimiento de algunos de sus comandantes, por los abusos de los que son víctimas y porque si bien ellos son los que ponen el pecho en las calles y las zonas más apartadas del país, ellos, los de los grados inferiores son los que menos beneficios reciben por su trabajo y están condenados a vivir pobres con sus familias.

Ni los presidentes, ni los ministros de Defensa y menos los directores de la institución han sabido interpretar el inmenso malestar de los policías de Colombia, por el contrario, quienes se han atrevido a quejarse han recibido castigos ejemplarizantes para que otros no lo intenten.

Por ellos y por su futuro también emprendimos nuestras investigaciones y los frutos de nuestro trabajo están dedicados a esos hombres valientes de corazón noble que se juegan la vida para que podamos dormir tranquilos. Ser director de la Policía Nacional implica un compromiso enorme con los colombianos y la institución, pero también es un reto personal para quien llegue, que exige decencia ante todo para manejar una de las instituciones más poderosas del país.

Un director de la Policía debe ser un ejemplo para sus hombres y para los colombianos. Si un director llega a dirigir la institución bajo políticas del abuso y la corrupción, la Policía puede acabar siendo poderosamente destructiva.

Capítulo XI

¡Tapen, tapen!...

No me había terminado de saludar, cuando sarcásticamente me preguntaba: "¿Quiere que le ponga más escoltas?". Al otro lado de la línea estaba el ministro de Defensa, Luis Carlos Villegas. Su llamada fue al día siguiente del anuncio del Fiscal General de la Nación sobre el inicio de la investigación de las chuzadas.

Entre la primera línea de enemigos de las denuncias periodísticas contra la Policía estaba el ministro de Defensa. Desde el principio se encargó de bajarle el tono a hechos tan graves de corrupción.

El tono de su voz no solo lo descubría como un funcionario altivo, sino que además estaba seriamente molesto. Con calma le respondí: "No ministro, yo no puedo decirle si necesito más o menos escoltas, yo no soy técnico en seguridad".

Me pareció increíble que el ministro pensara que yo simplemente andaba en busca de más escoltas, era simplificar hechos que ciertamente eran muy turbios. Él nunca se interesó en conocer el fondo de las denuncias. Insisto, en lo de la "Comunidad del Anillo", siempre negó la existencia de esa red de prostitución en la Policía, y cuando los hechos le demostraron que todo era verdad, que existía esa mafia, tuvo que reconocer el problema, desde luego minimizando ese elefante, absolviendo a los comandantes y dejándolo en el pasado.

Nosotros en La FM desde hacía mes y medio estábamos buscando a Villegas, es decir, desde que publicamos las primeras denuncias contra el general Palomino y su gente. No nos pasaba al teléfono, no nos daba entrevista, parecía sordo ante la gravedad de nuestras denuncias y de repente aparecía para preguntarme simplemente si yo quería más escoltas.

Cuando recibí su llamada, hacía apenas unos minutos el ministro había terminado una entrevista con Caracol Radio y en ella el periodista Luis Carlos Vélez le había hecho énfasis en que yo lo andaba buscando para hablar sobre las denuncias. Villegas se comprometió a llamarme. Tal vez por eso su actitud fue más que descortés; quizás se sintió obligado a hacerlo.

—Ministro solo quiero decirle que el general Palomino no es como se lo pintan, ahí hay cosas muy raras y muy graves —le dije. Él me respondió con sarcasmo: *"No sé si el general Palomino es tan incómodo por lo bueno que es"*. Evidentemente, el ministro estaba o se hacía el desinformado. No parecía estar dispuesto a saber más allá de la versión que seguramente el director de la Policía le había dado sobre todos los hechos.

La conversación fue corta. Quedamos de vernos la semana siguiente, me propuso que estuviera presente en una reunión con su gente de inteligencia. Me negué, no sé si sentía miedo o desconfianza, pero en todo caso me parecía que con el ministro todo era incierto; y el encuentro con los oficiales podría resultar hasta peligroso. Nuestro equipo estaba tocando sus intereses y en ese momento presentía que podían hacer cualquier cosa.

En efecto le cumplí la cita al ministro. Cuando llegamos con mi compañero Jairo Lozano a su despacho, uno de sus hombres nos pidió que le entregáramos los celulares. Le dijimos que no.

Ya no había confianza. Después de unos minutos entramos a la oficina del ministro, estaba allí con uno de sus viceministros y su jefe de prensa.

La reunión fue rara. Todo el tiempo Villegas se mostró como el abogado de oficio del general Palomino. Todo fue en su defensa haciendo caso omiso de nuestros argumentos. No aceptó ni una sola de las razones, ni los hechos que le expusimos.

El colmo fue cuando asumió como cierta la falsa versión de quienes buscaban desviar el tema. El ministro Villegas defendió la teoría, la falacia, de que el clan de criminales de los Úsuga podía estar detrás de las chuzadas y seguimientos a periodistas por las denuncias contra la Policía. Esa versión era increíblemente absurda. No tenía ni pies ni cabeza.

Cuando escuché al ministro de Defensa decir eso, no sabíamos si reírnos o enojarnos. Ministro —le dije— supongamos que los Úsuga me están grabando desde 2014 y ¿Entonces ellos estaban esperando que yo denunciara al general Palomino para mandarme a través de un anónimo las pruebas? ¡Por Dios, eso no se lo cree nadie!

No sé si el ministro Villegas pensaba que yo podía estar haciéndoles favores a bandidos, lo cual me parecería más absurdo y ofensivo.

Evidentemente el ministro no tiene el buen carácter como su mejor virtud, se le notaba la molestia con cada cosa que le decíamos. Luego habló de la pugna interna de generales por el poder, decía, que eso podía ser también el origen de todo. Pero eso tampoco le parecía que ameritara una investigación de cara a los colombianos.

Durante la reunión me llamó la atención que el ministro no tenía la más mínima preocupación porque hubiera una escandalosa grabación, donde oficiales de confianza del general Palomino amenazaban e intimidaban a un coronel que acusaba al director de la Policía de supuesto acoso sexual, tampoco lo vi preocupado, ni interesado, por el "curioso" incremento patrimonial del general y menos por el negocio de transporte del oficial que inició cuando era el director de carreteras.

Cuando hablamos del capitán Lasso, simplemente dijo que la decisión que había favorecido al oficial, tras un vergonzoso escándalo de "¿Usted no sabe quién soy yo?", en el que se vio involucrado, según él se tomó en segunda instancia como ordena la ley.

Hablamos del capitán Carvajal, quien según los correos anónimos, habría participado en los seguimientos y habría dirigido las chuzadas a periodistas. *"Sí, Carvajal existe y por su cargo no tiene acceso a esa tecnología de la que usted habla"*. El ministro también absolvió a Carvajal sin una investigación independiente y confiable.

Ministro —le dije— yo entiendo que usted representa a las Fuerzas Militares y policiales, pero también a nosotros los ciudadanos. Le pido que no mire solo la versión de la Policía, mire todo el contexto, la gravedad y seriedad de las denuncias.

La reunión siempre fue muy tensa y tuvo momentos en los que ambos discutimos acaloradamente. Le insinué que revisara de la manera más objetiva las denuncias de La FM, de Claudia Morales y de Daniel Coronell contra el general Palomino y su gente. Él simplemente las descalificó de plano.

Me detuve en la empresa de transporte que montó el general, negocio claramente incompatible con su misión, claramente ventajoso. La respuesta del ministro fue insólita, indignante. Eso no era suficiente, solo *"maluco"*. Insistió, *"no tengo dudas razonables contra Palomino"*. *"¿En serio ministro?"*, pregunté, *"¡En serio!"*, advirtió.

El ascenso del general Luis Eduardo Martínez también fue tema en el encuentro con el ministro Luis Carlos Villegas. Me sorprendió otra vez: *"Eso de Martínez va a salir mal, es una lástima"*. Reconoció que ante los nuevos *"anónimos"* contra el general tuvo que quitarle el respaldo. "Ese general se fue a vivir a mi casa cinco meses, cuando secuestraron a mi hija". Se notaba la gratitud del ministro con Martínez, pero esta no le alcanzó para protegerlo.

Era incomprensible que el mismo ministro que descalificaba al general Martínez días atrás lo hubiera defendido en el Congreso de la forma como lo hizo.

El ministro dejó claro que una conversación que tuvo con el Fiscal General, Eduardo Montealegre, había sido definitiva para quitarle el apoyo a Martínez. Sin embargo, no nos reveló qué le había dicho Montealegre. ¡Debió ser algo muy grave!. Por cierto, la Procuraduría archivó las investigaciones contra el general Martínez por supuestos vínculos con paras, hace apenas unas semanas. No se sabe que suerte correrá el oficial retirado en cualquier tema penal que pueda llegarle, si es que le llega.

Villegas nos acompañó a la puerta de su despacho, se notaba haciendo un gran esfuerzo para demostrarnos que era amable. Al final me entregó en un papelito un número de teléfono para que lo llamara si necesitábamos algo. Salí tan decepcionada de la reunión que no me preocupé en lo más mínimo por guardar el papelito. Se perdió, nunca volvimos a hablar, no valía la pena.

Entendí con todas sus respuestas que Villegas tenía una mala interpretación de su cargo. Pese a ser un ministro civil, había interpretado mal la solidaridad de cuerpo. No importa la gravedad de las denuncias o los hechos, lo importante es que no trasciendan a los medios y por lo tanto a la opinión pública. Es la política del "tapen, tapen".

Un mes antes de estallar el escándalo por las chuzadas y seguimientos a periodistas, el 13 de noviembre de 2015, el mundo estaba convulsionado por los atentados del Estado Islámico en París. Todas las televisiones del planeta hablaban de lo mismo, al igual que la radio y la prensa. Regresábamos de hacer el noticiero de La FM en Cartagena; ya en Bogotá, decidí llamar al ministro del Interior, Juan Fernando Cristo, un hecho en particular me había llenado de dudas, un coronel activo me había contactado el día anterior en el aeropuerto El Dorado y me había dicho que un patrullero lo había abordado desesperado para confesarle que las comunicaciones del equipo periodístico estaban interceptadas ilegalmente, su relato parecía muy serio y me prometió que trataría de convencer al uniformado para que me enviara las sábanas de las chuzadas. Le escribí varias veces pero me aseguro que quien tenía la información temía por su vida y la de su familia.

Llamé a Cristo. Ministro estoy muy preocupada. Desde que empezamos a publicar las denuncias contra el general Palomino y su gente, nos ha llegado mucha información donde nos advierten que nos están chuzando. Algunos oficiales nos han alertado. Eso me parece muy grave. Le cuento a usted, por si nos pasa algo. Dios no lo quiera, pero es bueno que usted lo sepa.

Por esos días tenía un poco agitada la respiración, me sentía muy intranquila, estaba muy preocupada, especialmente por los periodistas de La FM, estaban sin protección.

"¡Qué vaina eso!, déjeme averiguo y le cuento". El ministro, que siempre había sido cordial, ante el tema se mostraba parco, pero me escuchó sin afán.

No volví a saber del ministro Cristo hasta tres o cuatro días después de que el Fiscal General anunció el inicio de las investigaciones por las interceptaciones a los periodistas. En la corta conversación no pasó mayor cosa, solo dijo que lo sentía mucho y fue enfático en que él les había transmitido al presidente y al ministro de Defensa lo que yo le había dicho sobre las informaciones que me alertaban de que nos estaban monitoreando ilegalmente nuestras comunicaciones.

Desde que empezaron mis problemas de seguridad, hace como unos nueve años, RCN siempre me dio la protección. La Organización Ardila Lulle entendía que mi riesgo se había incrementado por mi labor periodística en radio y televisión. Es una lástima que en Colombia hacer bien el trabajo derive en amenazas que desestabilizan la vida personal y la familiar.

El Fiscal Eduardo Montealegre me recibió en su casa. Llegué prevenida, pero bien acompañada, con Jairo Lozano. En los últimos meses había sido muy crítica de su gestión. Tal vez, los contratos millonarios a mi excompañera de la mesa de trabajo Natalia Springer nos habían llevado a un punto agudo de confrontación.

En la mesa de trabajo también lo habíamos cuestionado por sus opiniones sobre el proceso de paz, que a nuestro juicio resultaban inconvenientes y sobre algunas de sus decisiones judiciales que generaban polémica.

Era miércoles 2 de diciembre, Montealegre fue amable, pero distante. Nos sentamos y realmente se portó muy profesional, comprendió que le hablábamos de algo delicado. Tener a un grupo de periodistas chuzados y seguidos por hacer su trabajo, no era precisamente un buen ejemplo en un sistema democrático.

Nos ofreció algo de tomar y nos escuchó casi sin interrumpirnos. Así es la vida. Yo estaba sentada frente al doctor Montealegre, en uno de los momentos más difíciles de mi carrera y él era el único que realmente estaba entendiendo la gravedad de la situación en la que nos encontrábamos por cumplir con nuestras obligaciones como periodistas. En ningún momento dudó de la veracidad de los hechos. Las pruebas hablaban por sí solas.

Ese día temprano habíamos hecho la denuncia formal ante la Fiscalía, se notaba que estaba muy enterado de los detalles de nuestros reclamos.

Al día siguiente, cuando lo escuché en la rueda de prensa haciendo los anuncios sobre la investigación de las chuzadas y seguimientos a los periodistas, quedé impactada, en realidad, los hechos eran contundentes y el Fiscal General de la Nación se la había jugado por nosotros ante las evidencias, se la había jugado por la búsqueda de la verdad.

> *"La Fiscalía General de la Nación* —dijo— *dio inicio a una investigación por seguimientos e interceptaciones ilegales a la periodista Vicky Dávila Hoyos, a raíz de una denuncia interpuesta por la periodista y su abogado. En el documento allegado a la Fiscalía se ponen en evidencia hechos muy concretos que denotan que Vicky Dávila, su familia y su equipo periodístico han sido víctimas de seguimientos e interceptaciones ilegales de sus comunicaciones privadas.*
>
> *"La Fiscalía General de la Nación ha iniciado esta investigación con la hipótesis de que las amenazas, interceptaciones y seguimientos ilegales de las cuales ha sido víctima la periodista Vicky Dávila pueden guardar relación con una serie de notas y denuncias periodísticas que involucran presuntas irregularidades dentro de la Policía Nacional de la República de Colombia.*

"Como Fiscal General de la Nación he dispuesto la creación de un grupo especial que investigará lo denunciado y donde no se descarta la posibilidad de citar a altos oficiales de la Policía Nacional para que rindan declaración. En el evento en que llegare a comprobar que existe relación entre los hechos denunciados por la periodista en los medios de comunicación y los seguimientos e interceptaciones de los cuales han sido víctima ella, su familia y su equipo periodístico, considero que estaríamos frente a un hecho que constituye un gravísimo atentado contra la democracia colombiana y la libertad de prensa.

"La Fiscalía General de la Nación recuerda que los periodistas y la labor que estos ejercen son objeto de especial protección constitucional. Tal como lo ha señalado la Corte en múltiples oportunidades, la actividad "periodística desempeña un papel protagónico en la consolidación de una sociedad pluralista y demócrata. A través de esta, se hace posible el debate político amplio. La fiscalización y control de los poderes públicos, el cambio político y la formación de una opinión pública robusta.

"Por tanto, las amenazas contra un periodista, como consecuencia de su oficio, trascienden el simple hábito de un hostigamiento contra la persona y constituyen por sí misma una afectación contra el sistema democrático. De ahí la necesidad de condenarlas con vehemencia y sancionarlas oportuna y eficazmente".

El Fiscal fue muy claro en que presentamos "hechos concretos" sobre las chuzadas y seguimientos, además aseguró que la hipótesis de la Fiscalía apuntaba a que las amenazas eran una retaliación por nuestras denuncias contra miembros de la Policía y por último Montealegre calificó las amenazas y hostigamientos a los periodistas como un ataque contra la democracia que había que condenar y sancionar.

El Gobierno tampoco le creyó a la Fiscalía, descalificó las denuncias, dijo que nunca hubo pruebas, pero el escándalo empezó a crecer aún más. El tema se convirtió en un hecho nacional e internacional, sentimos una solidaridad inmensa de buena parte de la opinión pública y de las organizaciones defensoras de la libertad de prensa.

Sobre este caso hay muchas preguntas que todavía no tienen respuesta. ¿Quién ordenó las chuzadas y seguimientos? Si el responsable no era el general Palomino y su gente ¿Quién era? ¿Sería un grupo de enemigos del general Palomino en la institución? ¿El general Ramírez, jefe de seguridad del presidente Santos estaba involucrado? En todo caso nos habían estado interceptando ilegalmente. De eso no hay duda.

Algunos medios que nos apoyaron periodísticamente nos quitaron el respaldo el mismo día en el que el presidente Santos descalificó nuestras denuncias y nos trató de ridiculizar diciendo que todo era un chisme. Quedaron los verdaderos amigos y los buenos colegas.

El 28 de marzo de 2016 llegando de la Semana Santa escuché incluso al periodista Darío Arizmendi en su noticiero de Caracol Radio en la mañana absolviendo al general Palomino, sin que las investigaciones hubiesen concluido. La entrevista empezó mal y terminó mal.

Darío Arizmendi: *"Mi general, evidentemente contra usted hubo un complot".*

La conversación entre periodista y exdirector de la Policía fue como la de un par de amigos, distante del rigor periodístico necesario ante las graves denuncias que se habían convertido en procesos judiciales y disciplinarios en contra del alto oficial, al punto que salió de su cargo. La despedida me dejó más perpleja aún.

Darío Arizmendi: *"General, buenas tardes. Nuestro Respeto, consideración y todo el cariño".*

General Rodolfo Palomino: *"Gracias, Darío, ustedes han sido un ejemplo de periodismo y ese es el periodismo que nos permite sentirnos orgullosos de cómo se comunica en Colombia".*

¡Quedé tan asqueada!

Las circunstancias políticas fueron muy adversas para los periodistas amenazados; el Fiscal General estaba de salida cuando estalló el escándalo; el proceso de paz con las Farc en la recta final, pero con muchos problemas; rondaba la sombra del apagón y la bajísima popularidad de Santos.

A este Gobierno le falta pensar menos en sí mismo. Tal vez por eso Santos no quiso aceptar que durante su gobierno alguien estaba chuzando. Políticamente no le convenía. En todo caso pasará a la historia como un presidente poco abierto a la crítica, vengativo y censurador. A nosotros nos cobró nuestras denuncias y ¡de qué manera!

Sin embargo, un buen gobernante es capaz de desafiar la política cuando de por medio están los derechos de los ciudadanos. Aunque Santos niegue las chuzadas, esas chuzadas en nuestro caso sí existieron, hay pruebas. Lo que no sabemos es si ahora nos siguen controlando de manera ilegal.

Salir de La FM fue muy doloroso por la forma y el momento. La empresa durante 18 años sabía de mi disciplina, trabajo, responsabilidad y profesionalismo. Y sobre todo, de mi lealtad y amor por mi trabajo y mi empresa.

En el momento de salir nada de eso importó. Había muchas presiones, fundamentalmente la del Gobierno. Ellos recibieron las almendras y me las entregaron. Ellos sí entendieron el mensaje inmediatamente.

Tuve que irme a pesar de estar en peligro y de haber puesto en riesgo a mi familia. Tuve que irme a pesar de habérmela jugado por mi oficio y la empresa, tuve que irme sin que me dieran la cara quienes durante años supuestamente me dieron su respaldo. Ellos me dejaron sola.

No quiero dejar pasar por alto los problemas de seguridad. Lo más impactante es entender que los reporteros que trabajaron en esto aún padecen la incertidumbre sobre su integridad y saben que las investigaciones repercutieron gravemente sobre nosotros mismos, pero también tienen claro que no podrán seguir con ellas; nadie los respalda, ni sus nuevos jefes.

En mi caso, solo unos meses antes del escándalo de la Policía el esquema de seguridad tuvo una modificación. Un día de junio o julio de 2015 me contactó el general William Salamanca de la dirección de Protección de la Policía. Me buscaba urgente y muy misterioso. Según él, detectaron en algunas interceptaciones al Eln un plan para *"hacernos daño"* a varios directores de medios.

El general Salamanca llegó hasta mi casa para entregarme los detalles. Aseguró que las amenazas venían de un comandante del grupo guerrillero que operaba entre Risaralda y Chocó y que en la comunicación se quejaba de lo crítico que éramos con el Eln y que en consecuencia, tenían que vengarse de nosotros.

Por esos días los guerrilleros cometieron un hecho macabro en Norte de Santander, usaron como "trofeo" de guerra las piernas mutiladas del cabo del Ejército Edward Ávila Ramírez; el militar pisó una mina sembrada por el grupo guerrillero mientras cumplía con su trabajo.

El general Salamanca aseguró que era necesario reforzar mi seguridad y desde entonces dos hombres de la Unidad Nacional de Protección, UNP, empezaron a acompañarnos.

Por esta razón, me pareció sorprendente la actitud de Diego Mora, director de la Unidad, tras las denuncias del Fiscal General, quien señaló directamente a la Policía de ser principal sospechoso por las chuzadas y seguimientos a periodistas.

Mora me escribió y me dijo que al día siguiente hablábamos, que estaba en Barrancabermeja.

Al otro día Mora se reunió con Daniel Hernández, fiscal del caso de las interceptaciones, quien lo puso al tanto de lo que estaba sucediendo. El director de la UNP salió del bunker y me llamó, "¿tú crees que necesitas más escoltas?", fue lo primero que me dijo, al igual que el ministro de Defensa. Mi respuesta para Mora fue igual que para Villegas: Yo no puedo decir eso, yo no soy técnico en seguridad. No sé si necesito más o menos.

Esperaba que la Unidad de Protección hiciera inmediatamente un estudio serio del riesgo en el que estábamos todos los del equipo periodístico. Tal vez no entendieron nuestra situación o quizás ya se estaba gestando en el Gobierno esa actitud de: "Aquí no está pasando nada".

No volví a hablar con el doctor Mora esos días, solo supe de él como ocho días después, cuando se comunicó conmigo a través del chat, el departamento de seguridad de RCN acababa de notificarle que se ocuparía de mi esquema de protección.

La Unidad de Protección mantiene como es natural un contacto permanente con la Policía y muchos exmiembros de la institución hacen parte del cuerpo de escoltas del Estado. Era muy complicada la confianza en adelante. Sin embargo, es el Estado el que debe proteger a los periodistas amenazados, esa es una obligación. Después de lo sucedido cinco periodistas de La FM que trabajaron en las investigaciones tuvieron que ser protegidos con esquemas de seguridad.

Uno de ellos, Angélica Barrera, quien fue vital en las investigaciones, recibió inicialmente un chaleco antibalas y un celular supuestamente "seguro". Ella que no tiene carro, debía portar el chaleco antibalas, mientras tomaba Transmilenio. Por supuesto, no lo usó, en casos como el suyo el chaleco no le serviría de nada ante un posible ataque. Un día antes de salir de RCN hablé de nuevo con Mora y finalmente le puso protección a la reportera.

Insisto, llevo mucho tiempo lidiando con problemas de seguridad a causa de grupos armados ilegales. Sinceramente nunca pensé que llegaría el día en que las amenazas provinieran de alguna institución del Estado. No podía confiar en la Policía, tampoco en el Gobierno.

Capítulo XII

La verdad: misión imposible

Investigar y denunciar es una obligación de los periodistas. Hasta ese punto llega nuestra responsabilidad, no somos fiscales, ni jueces, solo somos reporteros, no podemos sancionar o condenar. Nuestra misión es destapar, revelar irregularidades, muchas veces tenemos que ir en contravía con lo que los poderosos no quieren que se sepa.

Durante los últimos meses estas graves denuncias del equipo periodístico de La FM pasaron de la redacción y los micrófonos a los estrados judiciales y poco a poco, ante su solidez, empezaron a convertirse en procesos formales ante la justicia penal y disciplinaria contra los implicados.

Nuestra investigación fue profunda, ágil, oportuna y garantista en la medida que buscamos todos los ángulos de la información y hablaron todos —tanto denunciantes como denunciados—.

Las investigaciones disciplinaria y más concretamente la penal, son procesos lentos, están sometidas a engorrosos procedimientos y sobre todo, dependen de muchos factores, intereses y presiones. Por eso esperar resultados y llegar a la verdad en cada caso es todo un reto a la paciencia y al objetivo mismo de la justicia. ¡La ley es la Ley! ¿La Fiscalía y la Procuraduría serán capaces de llegar a establecer toda la verdad?

Nuestras denuncias contra el director de la Policía, el general Rodolfo Palomino, empezaron el 27 de octubre de 2015. Desde ese momento, la Fiscalía, la Procuraduría y la propia Policía comenzaron sus indagaciones sobre lo que íbamos publicando en La FM.

La única "justicia" pronta, como generalmente pasa es la de los mismos interesados. Si bien ninguna indagación ha dado resultados definitivos contra los protagonistas del escándalo, la Inspección de la Policía sí se ha caracterizado por acelerar conclusiones que poco han contribuido a la verdad.

Dentro de una cultura del 'tapen tapen', de una mal entendida solidaridad de cuerpo, sus decisiones han enrarecido todo y hasta desviado la búsqueda seria de la verdad. Contra lo evidente, la Policía se ha pronunciado, sus determinaciones no tienen fondo y no han tocado los intereses de los oficiales comprometidos en estas denuncias.

Así ocurrió cuando denunciamos las chuzadas y seguimientos ilegales a los periodistas en diciembre del año pasado. Apenas habían transcurrido un poco más de dos semanas, cuando la Policía en un comunicado desvirtuó los graves hechos sin investigarlos.

Sobre el Audi de placas CES 867, donado por la embajada alemana a la Policía para la lucha contra el terrorismo y el cual habría sido utilizado para seguirnos, la Policía admitió que el vehículo había sido sometido a una serie de peritajes. El carro fue puesto a disposición de la Fiscalía cuando había pasado por varias manos, es decir, posiblemente las evidencias fueron alteradas.

"Le fueron practicados a ese carro cuatro peritajes individualmente... Dichos experticios se realizaron de manera independiente y todos coinciden en señalar que el vehículo objeto de estudio, no ha sido

alterado en su sistema electrónico, eléctrico, ni mecánico; y descartaron modificaciones o conexiones de equipos especiales de seguimiento o interceptación".

Era obvio que nada iban a encontrar. Cuando la Fiscalía tuvo el carro en sus manos, concluyó que evidentemente no tenía modificaciones, pero que en realidad no las necesitaba y que su sistema eléctrico era el indicado para la conexión de los aparatos móviles de interceptación que fuesen necesarios. Es decir, el CTI no descartó que desde ese vehículo se hubiesen hecho seguimientos y chuzadas.

Sobre el otro vehículo de placas EJS 851, la inspección concluyó que no se encontró registro, el anónimo nos advirtió que esas placas eran falsas y las cambiaban constantemente.

La Inspección de la Policía, insisto, sin una investigación seria, profunda y objetiva, absolvió de entrada al capitán Wilson Fernando Carvajal, a quien las evidencias señalaban, presuntamente, de haber participado en las chuzadas. Resulta al menos risible la exhaustiva investigación que hicieron y en la que violaron el debido proceso. Bastó solo una prueba de polígrafo, que nadie serio e independiente supervisó. Además un examen a través del polígrafo no constituye una prueba judicial. Santos se reunió personalmente con el oficial y este negó todo. Sin proceso tuvo la absolución presidencial.

"Se realizó prueba de polígrafo al señor capitán Wilson Carvajal, colectando varias gráficas analizadas, calificadas, con el control de calidad y en cumplimiento de estándares estipulados por la Asociación Americana de Poligrafistas APA. El oficial superó satisfactoriamente el examen de confiabilidad".

Desde ese momento la Policía empezó a trabajar en la hipótesis de que algunos oficiales retirados, podrían tener responsabilidad en los hechos. Descartaron de plano al personal activo de la institución.

A todas luces la muy rápida investigación del general Carlos Ramiro Mena, Inspector General de la Policía, no es confiable, no es sólida. No tiene cómo sostenerse ante un filtro independiente. Su método, el polígrafo, está lejos de todos los estándares de justicia. Un solo hecho determina su peligrosa falta de rigor: para decidir no escucharon ni siquiera a todas las partes.

> *"La investigación ha permitido determinar una presunta relación de un exoficial —destituido de la Policía Nacional por faltas disciplinarias y penales— con algunas de las informaciones difundidas en medios de comunicación y redes sociales, que harían parte de los anónimos enviados a las periodistas. Esta línea de investigación se mantiene...*
>
> *"Se ha identificado una serie de perfiles falsos en redes sociales desde los cuales se ha realizado un ataque sistemático de desprestigio y desinformación contra la Policía Nacional. En esos sitios se ha difundido parte de la información anónima y falsa que ha llegado a los medios de comunicación en los últimos días...".*

El Fiscal General, Eduardo Montealegre, tenía la convicción de que sí nos interceptaron ilegalmente, la información que contenían los anónimos sobre nuestra vida privada era contundente.

Esos correos quedaron en cadena de custodia el 3 de diciembre de 2015, después de una diligencia que se prolongó por más de ocho horas. El objetivo era encontrar a los responsables, una tarea prácticamente imposible. Hasta cuando imprimimos este libro las autoridades de EE.UU. se comprometieron a colaborar para descubrir a través de las direcciones IP la ubicación de los computadores desde donde se escribieron los anónimos, esa sería una pista clave.

Sin embargo la colaboración ha sido tan lenta que ha resultado una misión imposible tener la información y sin duda el tiempo corre contra la verdad. También es evidente que ni siquiera con las direcciones IP sería fácil, los organismos de inteligencia utilizan como estrategia "engañar" los computadores para no desvelar su ubicación.

El autor de los correos me advirtió que supuestamente tan pronto se enteraron en la Policía de que sabíamos de las chuzadas y seguimientos, supuestamente ordenaron levantar las fachadas, pero continuaron con el monitoreo ilegal contra los periodistas.

La última vez que intenté contactar al anónimo fue el 8 de diciembre de 2015, el presidente Santos me pidió que le escribiera nuevamente. Al salir de la Casa de Nariño fue lo primero que hice.

> *"Una persona muy pero muy importante quiere verse con usted. Esa persona puede darle toda la protección si usted cuenta todo a las autoridades".*

El correo fue destruido, desapareció. Nunca más contestó aquel informante.

Hasta hoy la Fiscalía General de la Nación no ha podido establecer la identidad de la persona que envió los anónimos, tampoco ha podido llegar hasta quién o quiénes ordenaron chuzarnos y seguirnos. Con seguridad es gente tan poderosa que sabe cómo moverse para no ser detectada, debe ser gente que conoce desde antes las mieles de la impunidad.

En el camino de las indagaciones se han cruzado y mezclado varias investigaciones: la de las chuzadas; la grabación en la que oficiales del general Palomino presionan y amenazan a un denunciante para que cambie su versión de acoso sexual contra el director de la Policía; la "Comunidad del Anillo" y la existencia de un posible cartel de reintegros en la Policía que tendría tentáculos entre jueces, fiscales, oficiales retirados y periodistas.

El país también quiere saber cuáles son las fichas del cartel en la Policía y cuáles uniformados activos reciben millonarios sobornos, no solo por reintegros, sino, por ascensos y traslados. Esa modalidad delictiva también existe en la institución, pero nadie se ha preocupado por desmantelar la banda, es evidente que muchos se benefician y otros simplemente guardan silencio.

La existencia de la "Comunidad del Anillo" es otra investigación que cursa en la Fiscalía y la Procuraduría. Esos procesos fueron reactivados tan pronto los periodistas empezamos a denunciar sus alcances.

En estos hechos también buscan a los responsables del posible homicidio de la cadete Lina Maritza Zapata, la estudiante de la Escuela General Santander, a la que habrían asesinado por saber cómo operaba esa red de prostitución y cuya muerte intentaron hacer pasar como un suicidio.

Es probable que algunos de los protagonistas de las chuzadas se encuentren con otros en todo este entramado delictivo. Sin embargo, no hay que perder de vista que en el caso del general Rodolfo Palomino son muchos hechos y elementos en los que se ha visto involucrado y que a la fecha no ha podido explicar claramente.

La Inspección de la Policía ha hecho sus propias investigaciones "exhaustivas", orientadas a limpiar el nombre del alto oficial y en ese afán han tratado de encontrar conexiones entre personajes de bajo perfil y los hechos denunciados para filtrarlos a los medios de manera acomodada. La intención parece clara, desviar las investigaciones de otras autoridades o sepultarlas, probablemente lo logren.

Después de un poco más de seis meses, la Fiscalía llamó a versión a varios oficiales: el general William Salamanca, director de Protección de la Policía, fue llamado para que explicara por qué a mediados del año pasado me contactó para notificarme sobre un plan del Eln en mi contra.

Al ser indagado sobre estos hechos, el general Salamanca entregó a los investigadores un oficio en el que el director de la Policía, el general Rodolfo Palomino, le ordenaba reunirse conmigo. La Fiscalía busca el origen de las amenazas porque no existe, como se dice en el argot judicial, una noticia criminal de los hechos. Es decir, no existe un registro en los despachos oficiales del ente investigador sobre las interceptaciones al Eln que alertaron sobre el riesgo para mi seguridad.

El coronel Carlos Vargas, en comisión policial en Italia, también fue citado. La Fiscalía indaga por qué en medio del escándalo que envolvía a su jefe el general Palomino, el oficial buscó con urgencia un encuentro "confidencial" conmigo para hablar de las investigaciones de La FM y después de la reunión todo se filtró e incluso su nombre apareció en los correos que el anónimo me envió.

Vargas aparece mencionado en los correos como un administrador permanente de información sobre mí, que supuestamente habría grabado nuestra conversación en esa ocasión y en otras oportunidades. ¿A qué fue realmente el coronel Vargas a mi casa? ¿Cumplía una misión de espionaje? ¿El general Palomino le ordenó buscarme para sacarme información?

El oficial les reveló a las autoridades un hecho determinante: que habló del encuentro que tuvimos en mi casa y que supuestamente era confidencial, con su jefe el general Rodolfo Palomino, en el momento de los hechos. ¿Por qué le contó a su jefe sobre nuestro encuentro, cuando él me pidió el más absoluto secreto sobre esa reunión?

Vargas también les dijo a los fiscales que el general Luis Gilberto Ramírez, jefe de Seguridad de la Casa de Nariño, también supo de nuestra cita. ¿Cómo, por qué?

El coronel Ciro Carvajal, también tiene muchas preguntas por responderles a los investigadores. Tras las denuncias del coronel Reynaldo Gómez, ese oficial salió de la Secretaría General de la Policía, fue trasladado a Talento Humano.

Sobre él pesan las grabaciones publicadas por La FM en el escándalo del presunto acoso sexual del general Palomino. En los anónimos también aparece su nombre y la Fiscalía debe aclarar qué, de todo lo que se dice sobre este consentido del hoy exdirector de la institución, es verdad. Carvajal no pudo ascender al grado de general como tenía programado.

El coronel Ciro es el padre del capitán Wilson Fernando Carvajal, quien tiene un importante cargo en la unidad de inteligencia de la Policía. La Fiscalía hasta ahora indaga solo a sus subalternos que son cerca de 30 uniformados.

Entre los procesados además aparece el ahora teniente coronel John Quintero, protagonista de las mismas grabaciones en las que figuran los coroneles Carvajal y Mesa. Su permanencia en la Secretaría General, a pesar de los señalamientos en su contra, genera dudas entre los fiscales, así como su muy curioso ascenso a escondidas el 30 de diciembre de 2015, por fuera del ascenso de sus compañeros. Un dato interesante es que Palomino es padrino de matrimonio de Quintero.

El coronel Flavio Mesa tampoco ascendió a general de la República, siendo un firme aspirante, espera que le definan su situación jurídica, después de la evidencia que dejó la grabación que les hizo el coronel Reinaldo Gómez en donde lo presionaban para que cambiara sus denuncias contra el general Palomino.

No sé si cuando salga esta publicación estos oficiales sigan en la institución o se hayan ido.

Los periodistas Miller Rubio y Carlos Perdomo, fueron citados a rendir su versión ante la Fiscalía dentro de las investigaciones por el cartel de reintegros en la Policía. Rubio además, enfrenta las sospechas de los investigadores por su relación con el general Ramírez Calle, a quien el bando del general Palomino señala de ser el cerebro de un complot contra el director retirado. La Fiscalía, además, lo llamó a imputación de cargos por su relación con Pedro Orejas.

El otro llamado es un twittero retirado de la Policía. El subteniente en retiro Daniel Giovani Neira Ríos, abogado de profesión, públicamente ha sido crítico del general Rodolfo Palomino y de otros oficiales. Constantemente hace eco en sus redes sociales de los abusos de la Policía.

La Fiscalía sabe que Neira no es el cerebro del plan para monitorear ilegalmente a los comunicadores. Los escoltas de Neira también tenían que comparecer y explicar su relación con una mujer que durante tres meses hizo parte de mi grupo de protección. Es importante señalar que mientras prestó sus servicios estuvo mucho tiempo con mis hijos. Sin embargo, la Fiscalía tampoco cree en esa teoría y prácticamente ya la desechó.

En últimas, la Fiscalía no se dejó enredar con las hipótesis amañadas de la Inspección General de la Policía, que tan poca credibilidad tienen y que presuntamente buscan encubrir a los verdaderos responsables desviando las investigaciones.

Los avances en el proceso judicial han sido lentos e inciertos, a pesar de la búsqueda incansable del fiscal Daniel Hernández y su gente. Hernández recibió amenazas, al mismo tiempo que tomó el caso.

Sobre la "Comunidad del Anillo", cuando parecía inminente una imputación contra el coronel Jerson Jair Castellanos, por los hechos denunciados en 2006 por varios estudiantes de la Escuela General Santander, los hoy capitanes activos que se ratificaron en sus denuncias se negaron a hablar de nuevo.

Con las denuncias del capitán Ányelo Palacios tampoco ha pasado mucho en la Fiscalía. En la Procuraduría, su testimonio fue tan importante que terminó siendo definitivo en la apertura de investigación formal contra el general Rodolfo Palomino por la red de prostitución y el video que entregó, sobre un encuentro suyo con el exsenador Carlos Ferro, fue remitido a la Fiscalía como una posible prueba judicial para tratar de esclarecer posibles vínculos de políticos con esa tenebrosa organización.

En la Policía el capitán Palacios fue destituido en primera instancia por haberle dado una entrevista a La FM en la que hacía sus denuncias. Investigaciones disciplinarias muy efectivas y recias de la Inspección General contra víctimas y testigos, pero muy amañadas con los victimarios.

Es increíble el raro criterio del Inspector General de la Policía. Él destituye a un capitán por no pedir autorización para realizar una entrevista con un medio de comunicación, pero no le parecen graves las denuncias contra el general Palomino y no le parecen importantes las denuncias sobre la existencia de una red de prostitución en la institución, en la que por lo menos hay una persona muerta. Afortunadamente el 12 de mayo de 2016 la Procuraduría lo absolvió en segunda instancia. Se hizo justicia.

El exsenador y exviceministro Carlos Ferro tampoco ha sido llamado por las denuncias de Ányelo Palacios, ni por los hechos en torno al video que grabó el propio capitán. Por cierto, varias fuentes me comentaron que en varias reuniones sociales escucharon una historia sorprendente del propio Ferro, quien supuestamente habría asegurado que tras mi salida de RCN el vicefiscal Jorge Fernando Perdomo lo llamó para felicitarlo porque era la primera vez que ganaban una batalla contra un medio de comunicación, al 'tumbar' a una periodista tan reconocida. Esto explicaría el súbito freno que tuvieron las investigaciones. Las fuentes que me alertaron son de alta credibilidad; sin embargo, confieso que me parecía imposible que esa conversación telefónica se hubiera dado, prefería pensar que nunca ocurrió y que todo hacía parte de tantas fábulas que se tejieron alrededor de este escándalo.

Pensé durante varios días si debía buscar al doctor Perdomo, quien estaba como Fiscal encargado, tras la salida de Montealegre. El 11 de mayo, hace apenas unos días, le escribí al chat y le pregunté si había hablado con Ferro, me respondió que por qué le hacía esa pregunta, le insistí y me dijo que lo habláramos personalmente. Me recibió en su despacho el lunes 16 de mayo, 5 días después. Reconoció que sí habló con el exviceministro, que no lo hizo en los términos en los que me contaron y que lo llamó desde su teléfono personal el 18 de febrero cuando lo escuchó en la entrevista de BLU Radio en la que Ferro apareció con su señora, me dijo que lo hizo para expresarle que con acciones como la de él esa mañana Colombia era "más democrática y liberal", insistió en que lo hizo para resaltar el impacto de ese episodio en el futuro de la comunidad LGBTI en el país. Antes de salir de su oficina me dijo que no me preocupara y que estuviera segura de que sería imparcial en las investigaciones.

A propósito de Ferro, las indagaciones preliminares por la muerte y desaparición de Eduardo Díaz, amigo de Ferro, tampoco han tenido avances.

La dirección de Inteligencia de la Policía, desde donde se habrían hecho las chuzadas y seguimientos según los anónimos, fue allanada durante tres días por la Fiscalía General de la Nación a principio de este año. El CTI recogió toda la documentación secreta sobre compra de equipos y pago de gastos reservados.

He sabido que se han presentado varios "informantes" queriendo contarlo todo. Sus testimonios se han diluido, pero los investigadores analizan por qué llegaron a tocar las puertas de la justicia, quién los mandó y con qué intereses.

La Fiscalía adelanta varias investigaciones contra el general Palomino por los hechos denunciados, pero hasta la fecha, más de 6 meses después, no ha sido llamado a declarar. En la Procuraduría existen cuatro investigaciones formales contra el exdirector de la entidad: por la grabación en la que sus hombres intentan cambiar la versión de un denunciante en su contra; la "Comunidad del Anillo"; el posible incremento injustificado de su patrimonio y las chuzadas a periodistas.

Tras los anuncios del Procurador Ordóñez un alto oficial adscrito al organismo de control recibió a un 'enviado especial' que lo citó en una cafetería cercana al edificio de la Procuraduría. El hombre aseguró que supuestamente "en la Fiscalía todo estaba arreglado", pero que las decisiones que podían surgir en la institución (Policía) de investigaciones disciplinarias generaban angustia en los implicados. El mensaje era claro: a cambio de que el uniformado filtrara información de los procesos en curso le ofrecían nombrarlo en la agregaduría policial en Argentina. El oficial no aceptó y le contó a su jefe. Lo cierto es que los que mandaron el mensaje estaban muy preocupados por la suerte del general y sus subalternos.

Ciertamente cuando poníamos punto final a este libro, la Procuraduría abrió pliego de cargos contra el general Rodolfo Palomino y 3 de sus oficiales por las denuncias de La FM el 27 de octubre de 2015 en las que sus subalternos aparecían en una grabación presionando al coronel Reinaldo Gómez, para que cambiara su denuncia de supuesto acoso sexual contra Palomino. Aunque el exdirector de la Policía tendrá que hacer sus descargos antes de que el ente disciplinario tome una decisión definitiva, es claro que para su investigador, la orden que este impartió a sus hombres para que se reunieran con el denunciante posiblemente lo convierten en el determinador de las conductas irregulares que pudo desencadenar el encuentro.

"... Que el general Rodolfo Palomino López determinó que estos (Carvajal, Mesa y Quintero) influyeran ante el coronel Reinaldo Gómez Bernal y lograran que se retractara del oficio del 5 de mayo de 2015, que atentaba gravemente contra la dignidad del alto servidor de la Policía, constituyéndose al parecer como infractor de la ley disciplinaria...".

Dice el documento que de acuerdo con las versiones de todos los investigados el general Palomino fue informado de los resultados de la reunión entre sus subalternos y el coronel denunciante. Palomino se enteró de primera mano de que el oficial se retractaría de su denuncia por medio de un escrito, así lo reconoció en versión libre.

"También se me informó que en la reunión trataron el tema del escrito difamatorio y ofensivo en mi contra, sobre lo que consideraron de manera equitativa y sin obligación o compromiso alguno que era conveniente presentar un segundo documento en el que ofreciera excusas por lo dicho en esa carta... También fui informado que el teniente coronel Gómez manifestó que presentaría un nuevo escrito, del cual también fui enterado que efectivamente registró personalmente en la oficina de radicación de la dirección general de la Policía, creo que al día siguiente de la reunión".

La Procuraduría quedó con una duda que hasta ahora Palomino no ha podido resolver y es por qué el general no denunció a Gómez ante las autoridades competentes ante la gravedad de sus acusaciones. Finalmente el investigador disciplinario resolvió que Palomino y su gente habrían incurrido en falta gravísima. Esperaremos el resultado final de esta y de las otras investigaciones contra el general Palomino y su gente, las cuales empiezan a moverse. Cosa diferente pasa en la Fiscalía con las posibles conductas penales, en donde repito, ni siquiera ha sido llamado hasta ahora el poderoso oficial.

La impunidad asoma sus orejas en los escándalos que estremecieron a la Policía. Este libro, por lo menos, deja constancia histórica de las denuncias que nos atrevimos a hacer.

Capítulo XIII
Presiones indebidas

Acababa de cumplir dos meses fuera del aire. Esa mañana me levanté como a las 6, adormilada prendí el radio, mientras me quitaba la pijama para darme un baño. De repente escuché que anunciaban una renuncia en la Casa de Nariño. Le subí todo el volumen al aparato y me metí a la ducha cuando mencionaron que la superministra María Lorena Gutiérrez se iba del Gobierno, que supuestamente esa misma madrugada había sacado todas sus cosas de la sede presidencial. Quedé sorprendida. Cerré la llave, me puse muy rápido una toalla y me paré frente al radio. ¡No podía creerlo!

Se iba la mujer de las almendras, la mensajera del presidente Santos, la quejosa que había llenado de toda clase de preocupaciones a mi jefe por mi trabajo, por las denuncias de La FM. Sí, la misma que semanas atrás había visto satisfecha los titulares de prensa que anunciaban que yo no estaría más en RCN. Se silenciaron nuestras denuncias de corrupción en la Policía e incluso las del contrato de las almendras.

Esa mañana era yo la que escuchaba la historia sobre su salida. ¡Así es la vida! Nunca me imaginé que me iría de RCN y menos como me tocó salir; ella quizás tampoco se imaginó que iba a salir tan pronto del Gobierno y menos como salió: muy disgustada con su jefe por no poder imponer una terna para Fiscal.

La ministra de la Presidencia renunció el 20 de abril, mientras el presidente Juan Manuel Santos viajaba hacia Nueva York. Horas antes, el primer mandatario había anunciado la terna para que la Corte Suprema de Justicia eligiera al nuevo Fiscal General de la Nación.

La señora Gutiérrez, quien por decisión del presidente coordinó el proceso de elección de los candidatos, quedó inconforme, más bien: brava. Santos le quedó mal a quien era considerada su mano derecha e incluyó el nombre del exministro Néstor Humberto Martínez, su peor enemigo, en el grupo de aspirantes a reemplazar a Eduardo Montealegre.

La superministra hizo todo lo posible para que en la terna no estuviera Néstor Humberto Martínez. Ella pretendió cerrarle el paso apoyando el nombre del vicefiscal Jorge Fernando Perdomo. En los mentideros políticos dicen que cuando el presidente Santos le dijo que con la inclusión de Perdomo no le cuadraban las cuentas políticas, María Lorena aceptó que la terma fuera encabezada por el ministro de Justicia, Yesid Reyes y por dos mujeres. Pero el mismo día del anuncio, el jefe del Estado, después de una mañana de conversaciones con el vicepresidente Germán Vargas Lleras, cambió la terna. Dejó a Reyes y a Mónica Cifuentes, e incluyó a Néstor Humberto Martínez.

Martínez había renunciado a su cargo efímero en el Gobierno porque se cansó de las trabas y los desplantes de Gutiérrez, quien lo reemplazó en el cargo, para consolidarse como la mujer más poderosa de Palacio. Muchos de sus enemigos en el propio Gobierno, se referían a ella en voz baja en los pasillos de la Casa de Nariño, como "la presidentica".

Ante el cambio de la terna, María Lorena se llenó de rabia y orgullo, le dejó tirado el puesto al presidente, quien estaba claramente molesto cuando los periodistas le preguntaron sobre el tema: "*Varios están renunciando porque estamos haciendo unos cambios. Ella ha tenido mi cariño y respaldo, ha sido una gran funcionaria. Pero… todos los funcionarios tienen su ciclo*".

María Lorena Gutiérrez siempre supo mantener un bajo perfil ante la opinión pública, a pesar de que prácticamente todas las decisiones del Gobierno pasaban por sus manos. Era la mano de hierro del Gobierno, regañaba ministros, se enfrentaba al vicepresidente de la República y los funcionarios de sus afectos tenían privilegios. No había funcionario de alto nivel e incluso ministro que no se sobresaltara ante una llamada de María Lorena. En fin, ella era el poder detrás del trono.

El episodio de las almendras la sacó del anonimato ante la opinión pública, aunque los poderosos llevaban meses rindiéndole pleitesía, sabían que ella era clave para llegar directamente al presidente o podía ser el mayor obstáculo.

En mi caso la superministra fue definitiva cuando llevó las almendras a mi jefe con el mensaje del presidente Santos. Una presión que terminó dejándome por fuera de mi trabajo. Gutiérrez se convirtió en una muy afilada guillotina por la que pasó mi cabeza.

Los hechos demuestran que mi trabajo le parecía muy incómodo al Gobierno y por eso procedió con todo su poder. Al otro lado había un grupo económico, con miles de intereses y al que no le convenía estar de pelea con el Gobierno de turno, por el trabajo de un grupo de reporteros.

Por esos días, periodistas de La W cuestionaron los procedimientos del jefe del Estado en mi caso durante una entrevista que les concedió.

> *"Me parece —aseguró Santos— que esa aseveración es mentirosa, además injusta, injusta porque yo sí no quiero quedar ante la historia como un presidente que está censurando o pidiendo cabezas de los periodistas, eso no es cierto. Lo que sucedió con Vicky Dávila, pues yo lamento mucho, yo apreciaba y sigo apreciando mucho a Vicky, ha*

cometido una serie de errores. Ahí en la entrevista por ejemplo dice que el mismo día de la publicación la ministra de la Presidencia, María Lorena Gutiérrez, se entrevistó con un altísimo ejecutivo de RCN. Lo que no dice es que no fue porque ella llamó al altísimo ejecutivo, sino que el altísimo ejecutivo la llamó a ella, supongo que avergonzado con un supuesto escándalo de unas, ella le llama, polémicas compras de unas almendras que costaron 15 millones de pesos. Unas almendras que se le dan a todos los visitantes que vienen a Palacio, son unas almendras de una fábrica de dulces y se les da en una caja de cartón. Y María Lorena Gutiérrez se las dio al alto ejecutivo para que se diera cuenta que cuestan 32 mil pesos".

La periodista Camila Zuluaga, muy aguda, preguntó: "Presidente para pedir la cabeza de un periodista no necesariamente hay que levantar un teléfono y llamar al director de una organización. Usted hizo unas declaraciones con Ángela Patricia Janiot en donde acusaba que lo que había hecho Vicky Dávila con la publicación del video no era buen periodismo. Y ahí dijo que se despojaba de su condición de presidente y se trasladaba a la de periodista, como si eso pudiera hacerlo usted en algún momento, cuando siempre y todos los días mientras esté en ese cargo, pues será el Presidente de la República. ¿No le parece que esa fue una presión indebida de su parte? Más cuando ahí hay una relación asimétrica frente a un presidente atacando a una periodista por su labor.

Presidente: *"No Camila, no me parece que eso sea ni indebido ni que yo haya actuado de forma diferente a la que deba actuar cualquier presidente. Cómo cree usted que un presidente no puede cuestionar que se esté haciendo buen o mal periodismo en el país, ese es el derecho de cualquier ciudadano y mucho más del Presidente de la República. ¡Reclamar que se haga buen periodismo! Cuando ella (Ángela Patricia) me preguntó por el video, yo le respondí una cosa: ojalá sean los periodistas y no una polémica con el Gobierno, los que hagan una reflexión sobre cómo están desarrollando su labor. Y le pregunté, ¿Ángela Patricia a usted le parece que está correcto que publiquen así* *de buenas a primeras un video como el que se publicó? Ella confesó inclusive que no lo había visto. Pero yo creo válido, totalmente válido que el presidente haga esa pregunta".*

Félix de Bedout también fue contundente al cuestionar a Santos, quien quedó al descubierto sobre su actuar cuando no le gusta el trabajo de un periodista: Sí presidente, lo que pasa es que el presidente obviamente puede opinar lo que quiera, pero eso de estar entregando certificados de buena o mala conducta periodística si no le corresponde al presidente, le corresponde a la gente obviamente y a analistas, pero uno pensaría que no al presidente. Pero quiero volver al tema de las almendras, porque eso más allá de anécdota, lo que se señala en la entrevista es que tenía doble mensaje. Por un lado decirle a los directivos de una organización donde trabaja el periodista, que están molestos con ese trabajo, dejarlo en evidencia ¿o cuál era el sentido de las almendras?

Presidente: *"El sentido de las almendras era demostrarle al directivo de RCN que esa supuesta denuncia no tenía ni pies ni cabeza, que no tenía ninguna importancia. Que un contrato por 15 millones de pesos por unas almendras que se utilizan para dar unos regalos muy modestos, realmente es un regalo de 32 mil pesos, eso publicarlo como un escándalo, como una especie de prueba de despilfarro en la Presidencia, pues no creo que eso sea lo más apropiado. Ese es el sentido de entregarle las almendras para que vea con sus propios ojos, pues de qué se trata ese escándalo. Entonces no creo que sea indebido, ni que se haya hecho con otra intención que demostrar que eso no tiene ninguna importancia y que ese tipo de acusaciones no tiene ningún asidero".*

Félix de Bedout: "Pero entonces usted sí nos confirma que estaban hablando con un directivo de la labor periodística de un periodista. Ese reclamo se le tiene que hacer, si se quiere, al periodista, pero es que llevar el tema al directivo sí demuestra que se quiere brincar directamente al periodista y hacerle el reclamo al directivo, con lo que eso representa".

Presidente: *"El directivo llamó a la ministra de Presidencia a invitarla a almorzar; la ministra de Presidencia no llamó al directivo, no llamó a reclamarle Félix, en eso hay una gran diferencia ahí"*.

Félix de Bedout: "Presidente me dan un dato adicional, me dicen que además de esa conversación del directivo de RCN con Presidencia en torno al tema de las almendras, que podría parecer anecdótico, ese mismo día el ministro de Defensa también llamó al mismo directivo de RCN a manifestarle la molestia del Ministerio por las investigaciones periodísticas que se están realizando sobre el tema de la Policía y todo esto además antes de que salga el famoso video de la controversia. Yo le insisto Presidente: ¿qué hace el Gobierno a través de la Presidencia y a través del ministro llamando a un alto directivo a ponerle quejas del trabajo periodístico de alguien en una emisora?".

Presidente: *"No sé Felix lo que usted me está relatando del Ministerio de Defensa con el directivo de RCN, pero sí me parece perfectamente normal que si hay algún tipo de reclamo de algún ministro sobre algún tipo de comportamiento de algún periodista, que se pueda expresar y diga hombre mire esto fue así, o a dar explicaciones. No sé cuál es el contexto de esa conversación. No la conozco. Pero cuántas veces no ha recibido usted Félix llamadas de funcionarios del Estado, del Gobierno para explicarle mire Félix lo que sucedió fue esto o aquello, eso no me parece que hace daño…"*.

Félix de Bedout: "Eso está muy bien si fuera así…".

Presidente: *"Que un ministro o un funcionario del Gobierno llame a alguna persona que tenga que ver con los medios de comunicación es absolutamente normal. No comience a tratar de ponerle sal a una herida que no existe, porque es que no creo que la llamada de un funcionario a una persona sobre, me imagino, la investigación y el tratamiento de la Policía. Que un ministro de Defensa defienda a la Policía es normal"*.

Félix de Bedout: "Pero es que sí hay sal en la herida y en este caso obviamente yo he recibido ese tipo de llamadas de Presidencia y me parece normal, eso no tiene nada de malo. Pero no han llamado a Caracol, a los directivos de Caracol y en este caso, si se tenía esa molestia del ministro, era muy fácil llamar a la periodista y decirle mire Vicky yo considero tal o cual cosa. Lo que me parece sorprendente es que se salten esa instancia y se vayan a los directivos de la cadena radial para ponerle la queja sobre el trabajo de un periodista".

Presidente: *"Usted dice que no se ha llamado a Caracol o que no se ha llamado a los directivos de Caracol... Muchas veces se habla de cómo está el periodismo en el país, cómo están viendo el noticiero. Y le preguntan a los ministros o al propio presidente: ¿usted ve que el noticiero está bien, está mal? Y uno opina, eso es absoluta y totalmente normal... Lo anormal es lo contrario, entonces yo si no le veo ningún inconveniente a que un ministro llame a un directivo de una empresa que tiene medios de comunicación para discutir sobre un tema periodístico... Eso es perfectamente normal. Cuando yo estaba ejerciendo el periodismo, me llamaban todos los ministros... Me decían mire le explico que la medida que tomé es tal cosa, lo que publicaron en el periódico no tiene sentido porque se les olvidó darle este ángulo... Eso era todos los días, eso es normal. De manera que no veo que una llamada o una conversación que no conozco, yo conozco la conversación que tuvieron el directivo y María Lorena, que fue la que se publicó en la entrevista de Semana, esa sí la conozco porque me la relataron, la otra no la conozco, pero me parece perfectamente normal".*

Un Gobierno demócrata no está para expedir certificados de buen o mal periodismo y menos cuando cuestiona la labor de periodistas que investigan y denuncian actos que comprometen a ese Gobierno. El Gobierno, sobre todo el Presidente de la República, están para garantizar la libertad de prensa.

Aunque para el presidente Santos es normal que él y sus ministros del Gobierno acudan a los directivos y dueños de los medios cuando no están conformes o están disgustados con alguna información, esto es considerado en las salas de redacción como una presión indebida, un ataque a la libertad de prensa, porque lo que buscan es intimidar al periodista. Lo correcto es que si un funcionario o un particular consideran que el trabajo de un periodista estuvo mal hecho, en primer lugar deben buscar a ese reportero y sustentar sus reclamos.

Mandarle razones con sus jefes es intimidarlo, es un mensaje para decirle, "tengo el poder de hablar y quejarme con sus jefes", "soy poderoso", "su puesto está en mis manos". Más en este caso, cuando lo hicieron con los dueños de un conglomerado económico con muchos negocios y que en temas como el proceso de paz se opone al Gobierno. Esa mezcla entre poder, Gobierno, periodismo y negocios no es lo más sano para la búsqueda de la verdad, primer propósito del periodismo, pero entiendo que este es un debate con muchas aristas.

Los dueños de los medios deberían mantener distancia entre sus negocios, sus intereses y sus casas periodísticas. Para los emporios tener medios de comunicación los hace más fuertes, aunque tener otros negocios, paradójicamente, los hace también más vulnerables a la hora de informar enfrentando el poder de un Gobierno, que en todo caso, tiene en sus manos las decisiones sobre el futuro de sus intereses económicos.

Los funcionarios siempre buscarán manipular la información. La clave es la respuesta de los dueños de los medios y claro, de los directores.

Durante los días que denunciamos las chuzadas, varias organizaciones nacionales e internacionales de periodistas, como la SIP, CPJ y la FLIP, que defienden y velan por la libertad de prensa, se pronunciaron con gran preocupación.

Para los defensores del libre ejercicio del periodismo, las interceptaciones ilegales se convierten en una amenaza contra la misión periodística.

Quizás la comunicación que más impacto generó fue la de la Fundación para la Libertad de Prensa.

"1. Más allá de la decisión periodística de publicar el video —que generó un debate legítimo y necesario en la opinión pública— no se

puede pasar por alto el hecho de que esa noticia hacía parte de una investigación periodística de interés público que tanto La FM como otros medios de comunicación venían adelantando.

2. Por cuenta de esa investigación tanto Vicky Dávila como otros periodistas recibieron amenazas de muerte y fueron objeto de interceptaciones ilegales. No puede pasarse por alto, entonces, el grado de intimidación y presión en que Dávila y otros periodistas, venían ejerciendo su labor.

3. En ese contexto, resulta cuestionable y paradójico que el presidente Juan Manuel Santos asumiera el rol de 'periodista' para criticar la decisión editorial de un medio de comunicación que investigaba posibles actos de corrupción en su Gobierno. En la situación de riesgo que enfrentaba Vicky Dávila, esa declaración tuvo un efecto intimidatorio para ella y los demás periodistas que venían trabajando en esa historia.

4. Más allá de su pasado en el periodismo, el presidente Santos es hoy en día el primer funcionario público de la Nación. Como han manifestado la Corte Constitucional y la Comisión Interamericana de Derechos Humanos, la responsabilidad de ese cargo implica que ninguna de sus declaraciones puede inhibir la actividad periodística, ni mucho menos aumentar la exposición de periodistas que ya están enfrentando un riesgo.

5. La autocensura no puede ser el resultado de este episodio. Le corresponde al Gobierno, por una parte, ofrecer las condiciones para que los medios de comunicación continúen ejerciendo su labor y por la otra, garantizar la integridad de los periodistas involucrados en esta investigación. De la misma forma, les corresponde a las autoridades judiciales —como ya manifestó la FLIP— investigar las intimidaciones y amenazas contra estos periodistas".

Ante la contundencia del pronunciamiento de la FLIP, la respuesta del Gobierno fue inmediata. Evidentemente el presidente Santos sabía que la postura de la Fundación para la Libertad de Prensa no lo dejaba como el demócrata que dice ser.

La respuesta del Gobierno

1. El Gobierno y el presidente de Colombia valoran, respetan y protegen —como los que más— la libertad de prensa como un principio fundamental de la democracia. El presidente ha mantenido esa posición durante toda su vida, como periodista y como funcionario.

2. De ninguna manera los hechos denunciados por la entonces directora de La FM pueden interpretarse como presión o intimidación por parte del Gobierno Nacional o el Presidente de la República, quien, apenas se presentaron las denuncias, invitó a la periodista a una reunión en la Casa de Nariño para que le relatara los hechos, ordenó de inmediato la investigación correspondiente y le pidió personalmente a la Fiscalía que obre con la máxima diligencia para llegar al fondo de este asunto.

3. Estas denuncias son aún objeto de investigación por parte de las autoridades competentes y el Gobierno Nacional está a la espera de los resultados para tomar las medidas a que hubiere lugar. Hasta el momento, dichas investigaciones no han arrojado resultados que corroboren las denuncias.

4. El comentario del presidente sobre el video de una conversación íntima publicado por La FM fue expresado frente a una pregunta de la periodista Ángela Patricia Janiot —quien, en un foro sobre otro tema, le preguntó sorpresivamente su opinión sobre el mismo— y no pretendía de manera alguna inhibir el libre ejercicio del periodismo, ni dar lecciones sobre él. El propio presidente dijo en esa ocasión que este era un tema que debía ser objeto de discusión entre los periodistas, precisamente para respetar su independencia.

5. El Gobierno Nacional ha ofrecido siempre las garantías necesarias para que los medios ejerzan libremente su labor periodística y da protección a quienes se ven amenazados en el ejercicio de ella. Actualmente 146 periodistas reciben protección del Estado colombiano.

Quizás en este episodio mis conclusiones no son necesarias. Las que deben importar son las de la opinión pública, porque son más valiosas, contundentes y objetivas.

Ocultar y maquillar lo que ocurrió es imposible. Eso lo percibo en cualquier lugar a donde voy, la gente me demuestra su aprecio y su solidaridad, sus opiniones han sido fundamentales para terminar de comprender lo que pasó.

La gente en la calle no necesita intermediarios, la gente en la calle tiene claro por qué ya no estoy al aire y por qué todos los protagonistas relacionados con las denuncias sobre los escándalos de la Policía actuamos de la manera como lo hicimos. En el caso de los periodistas los colombianos saben que buscamos solamente la verdad.

Una verdad que muchos quisieron censurar. Mientras escribo estas líneas encuentro en la revista Semana del 9 de mayo, una nota sobre la depuración sin precedentes en la Policía Nacional por casos de corrupción. Es otra prueba de que nuestra investigación tenía sustento y que íbamos por el camino correcto.

El 23 de abril fue un día muy importante para mí. La Feria del Libro me invitó a participar de un conversatorio al lado del maestro de la ética periodística en Colombia, Javier Darío Restrepo.

Debo ser franca, hablar del tema del video con una autoridad de esa talla me intimidaba. Pero tras la charla sincera de una hora frente al público, entre otras cosas, poblado de estudiantes, sentí que me comprendió, sus opiniones sobre el tema fueron acertadas, serenas y respetuosas.

No hay nada que dé más valor a una reflexión que la experiencia. El maestro Restrepo la tiene toda, él está por encima del bien y del mal en el oficio.

Javier Darío planteó una dinámica reveladora, pidió que levantaran la mano quienes consideraban que los protagonistas del video tenían derecho a la intimidad, hubo muchas manos arriba. Luego hizo lo mismo, pero haciendo alusión a los Papeles de Panamá. ¿Tenían derecho a la intimidad los clientes de Fonseca-Mosak? Solo dos o tres personas se atrevieron a defender a los adinerados.

Cuando todos nos preguntábamos por qué Restrepo hizo esa comparación, dijo: "Hay distintos derechos a la intimidad. El derecho a la intimidad de la persona que ocupa un cargo público... Miren al señor vicepresidente, le hacen una cirugía y todos nos enteramos qué clase de cirugía es, cómo es la recuperación del señor, si está comiendo bien o no. En el caso de cualquiera de ustedes y nosotros, ciudadanos de a pie, es absolutamente extraño, nadie tiene por qué saber de qué me operaron a mí, en cambio en el caso del señor vicepresidente eso se convierte en una necesidad pública, porque ese señor maneja intereses públicos y todos tenemos derecho a saber si está capacitado o no para defender esos intereses. Por eso el derecho a la intimidad de la gente que está manejando asuntos públicos es más reducido que el derecho que nosotros tenemos. Nadie tiene por qué irse a meter a mi vida. Un personaje público no puede decir eso, tiene intimidad sí, pero aquella intimidad que no afecta el interés público...".

Javier Darío Restrepo fue claro en la necesidad de hacer autocrítica en los medios y en la importancia de la intimidad para una sociedad. Una de las reflexiones que más me caló fue la que hizo en torno a la polémica tras la publicación del video, después de escuchar mis razones.

> *"(Vicky) es alguien a quien le hicieron un juicio, sin escuchar... a mí me preguntaron ¿tu habrías publicado el video? Y yo dije no lo habría publicado... Pero inmediatamente caí en la cuenta de que era una respuesta incompleta... Eso lo estoy diciendo después de las cosas que sucedieron y cuando las cosas han sucedido uno teoriza todo lo que quiere y luego no sabe cuál habría sido su actuación en el momento mismo. Y siendo sincero, en mis tiempos en que hacía periodismo activo y no de reflexión como ahora mismo, muy probablemente yo habría tenido los mismos pensamientos tuyos (Vicky), de modo que eso de juzgar a posteriori es demasiado fácil... En ética nadie es juez de nadie porque resulta que la ética es una decisión personal, tan personal como esa decisión que ustedes acaban de escuchar, por tanto uno no conoce los motivos que tiene la gente para determinadas acciones... Tiene que respetar esos motivos, recuerden esa citadísima frase de Ortega y Gasset: "El ser humano es él y su circunstancia".*

La circunstancia acabamos de escucharla. La podía presentir, pero es la primera vez que se escucha en público esta circunstancia que explica por qué Vicky obró como obró. La segunda parte de mi mantra es, uno solo es juez de sí mismo. Y estamos ante la oportunidad de aprender de ese caso y parte de ese aprendizaje...".

Al terminar la jornada le di un sentido abrazo al maestro y le agradecí su comprensión y sus lecciones. Fue un gusto escucharlo esa tarde que terminó para mí en gratos momentos de fotografías y autógrafos con decenas de jóvenes que llegaron a la Feria a acompañarnos.

Capítulo XIV

Mi verdad

Acepto todo tipo de debates sobre mi trabajo. Creo que la evaluación del público al desempeño de los periodistas y de los medios es necesaria; es un proceso de retroalimentación básico, más cuando nosotros nos debemos a él.

La revelación del video tal y como se hizo puede tener, desde el punto de vista periodístico, tantos detractores como defensores. Pero creo que el debate no debe darse en blanco y negro. Soy la primera en aceptar que lo debimos haber editado. Por diferentes motivos no se hizo, pero nunca ordené su publicación por el morbo que podía provocar, ni por violar la intimidad de las dos personas que participan del diálogo y menos por discriminarlas. Nunca quise deliberadamente dañar a alguien. Consideré, que ante los anuncios de la Procuraduría ese día, el video era una pieza periodística importante y que el público la debía conocer. Editarla, también debo decirlo, podría constituir, en gracia de discusión, otro debate sobre si la había manipulado o no.

En todo caso, el video encajaba en el expediente judicial y debía ser verificado por las autoridades competentes ante acusaciones muy graves donde incluso, hay muertos de por medio, lo cual en mi criterio lo convertía en un elemento de interés público que requería ser divulgado.

El trabajo investigativo que realizamos tampoco estuvo relacionado con una persecución contra funcionarios homosexuales. Siempre mis opiniones han sido a favor de los derechos de quienes tienen una orientación sexual distinta a la heterosexual. Pero tengo claro que las preferencias sexuales tampoco pueden ser un escudo de inmunidad para quienes cometan excesos o falten a la ley. Frente a la Constitución todos debemos tener los mismos derechos y deberes.

Tampoco perdamos de vista que los protagonistas del video son dos funcionarios públicos, en un vehículo público y donde al menos uno de ellos, el capitán Ányelo Palacios, reconoce haber pagado favores con sexo.

El poder tiene límites, los poderosos también, como cualquier ciudadano.

Mi decisión de publicar y mi salida de RCN tuvo dos efectos inmediatos que le convenían a la Policía, al Gobierno y a la empresa para la que yo trabajaba: me quedé sin trabajo para plena alegría de los dos primeros y para la tranquilidad de mis jefes. Pero el efecto más grave es que sirvió para desviar la atención de la opinión pública sobre lo sustancial. Las graves denuncias que hicimos fueron cubiertas por esa cortina de humo. Nadie ha podido desmentir la existencia de la tenebrosa "Comunidad del Anillo", cuyos tentáculos llegaron al Congreso. Nadie ha podido desmentir con pruebas el espionaje desde la Policía, con chuzadas y seguimientos a los periodistas de La FM y a nuestra colega Claudia Morales.

Detrás del debate sobre mi decisión de publicar ese video, los interesados como el general Palomino desviaron sus explicaciones de fondo sobre su posible y curioso incremento patrimonial, los muy casuales y enormes descuentos que le daban a la hora de comprar bienes, su negocio de transporte cuando era comandante de carreteras, su presunto acoso sexual a otro policía y las amenazas y presiones por parte de sus subalternos a un coronel para que cambiara una denuncia contra el director de la Policía.

El poder me mostró sus terribles fauces por meterme en un tema que tocaba muchos intereses.

Nos metimos con el Presidente de la República, el ministro de Defensa, la superministra de la Presidencia y el director de la Policía Nacional. Al presidente Santos, amable y aparentemente interesado en el tema desde el comienzo, le molestó que yo dijera que alguien en su Gobierno estaba chuzando.

Al ministro de Defensa le incomodó que nos metiéramos a investigar a la Policía. A la superministra, María Lorena, la agobió que hayamos informado sobre los millonarios contratos con el Estado de Jorge Hernán Cárdenas, su exsocio y hermano del ministro de Hacienda, entre ellos dos contratos con la Policía. Y desde luego, al general Palomino le disgustó que le sacáramos a la luz pública graves dudas sobre su integridad personal, profesional y patrimonial.

La publicación del video y mi salida del aire, taparon lo realmente importante para los colombianos: saber lo que pasó en esa institución de todos, la Policía. Un valor sin igual para quienes informan, es la honestidad a la hora de hacer sus publicaciones. Siempre que se es honesto y se actúa de buena fe, los resultados se ven reflejados en la credibilidad.

En el mundo entero enfrentarse al poder es un reto incierto y espinoso, pero esa es la labor diaria del periodista. Por encima está la búsqueda de la verdad.

Supe por ejemplo, que dos días antes de las elecciones presidenciales que ganó Ernesto Samper, a un importante medio de comunicación llegaron los narcocasetes. Ese medio decidió no publicarlos porque sus directivos consideraron que esa decisión podría alterar de manera grave el proceso electoral. Hoy, casi 25 años después, seguimos pagando como país las consecuencias de un Gobierno patrocinado por el Cartel de Cali.

No hay duda, ese medio debió haber publicado esa anomalía. Esa es la obligación del periodista.

Los medios en Colombia se la han jugado desde sus redacciones por decir la verdad a cualquier precio: la revista Semana al denunciar de manera valerosa y responsable las chuzadas del DAS contra el Gobierno que pudo ser el más popular de la historia del país; QAP durante el proceso 8 mil en el gobierno Samper, pues las Marías se quedaron sin noticiero: la desaparición de la revista Cambio por sus denuncias sobre los abusos del ministro de Agricultura, Andrés Felipe Arias, con Agro Ingreso Seguro, en el gobierno de Álvaro Uribe.

El Espectador cuando desde su editorial, don Alfonso Cano desenmascaró al entonces congresista Pablo Escobar. Con su vida don Guillermo Cano pagó su valiente y ejemplar lucha contra la mafia. Daniel Coronell con Noticias Uno, cuando denunció entre otras muchas cosas la Yidispolítica.

Me quedo corta porque los ejemplos de valor de los periodistas de nuestro país son innumerables. Ciertamente muchos han pagado con su vida por decir la verdad y otros han tenido como camino de salvación el exilio.

Todos ellos cumplieron con su obligación, nosotros hicimos lo mismo en La FM. Jamás interpusimos nuestros intereses personales sobre nuestro compromiso profesional de buscar la verdad.

Hoy recuerdo la admiración y el aprecio que tuve siempre por el general Rodolfo Palomino, incluso desde antes de ser director de la Policía. Pocas veces faltó en nuestras fiestas de aniversario y siempre tuvo un lugar especial por su tarea en la institución. Pero la tarea de un periodista no es ocultar posibles hechos ilegales o irregulares de los funcionarios o de los poderosos por admiración o respeto.

No los ocultó la prensa de Estados Unidos en medio del juicio al presidente Bill Clinton por tener como amante a una jovencita que hacía pasantías en la Casa Blanca. Los periodistas no se quedaron con nada y exhibieron incluso las imágenes de la falda con el semen del presidente Clinton que guardaba Mónica Lewinsky. El País de España tampoco se negó a publicar las grotescas imágenes de los "Bunga, Bunga" de Silvio Berlusconi. The New York Times no dudó en hacer públicos los videos y las fotografías del exgobernador de Nueva York, Eliot Spitzer, teniendo sexo con una red de prostitutas rusas. Inolvidable la decisión de la BBC de publicar las cartas del Papa Juan Pablo II con su amiga filósofa; "te pertenezco" y "te siento en todas partes", decían algunos apartes. La forma como los medios franceses destaparon el affaire del presidente François Hollande, que le costó su matrimonio, también nos sirve de ejemplo. Y el caso más emblemático: Watergate. La investigación del Washington Post que llevó a la renuncia de Richard Nixon.

La obligación de la prensa es destapar, no tapar. El primero que atenta contra su intimidad es el funcionario que actúa mal, de manera irregular o ilegal.

Los casos son innumerables y Paola Ochoa hizo referencia a todos ellos en su columna "Cerdos" en El Tiempo, en pleno escándalo, tras mi salida de RCN. Se lo agradecí inmensamente, porque me interpretó sin cruzar una sola palabra conmigo.

Pensar que un periodista que se arriesga a hacer pública una verdad es amarillista, resulta mezquino a mi juicio. Jamás publiqué algo pensando en los niveles de audiencia, siempre lo hice pensando en mi misión como periodista.

Alguna vez le escuché decir a Daniel Coronell que los periodistas no trabajamos precisamente para quien firma nuestro cheque y es cierto, un periodista se debe a los ciudadanos que esperan que ese reportero les cuente lo que realmente está sucediendo. Por eso yo no pensé en el que firmaba mi cheque, ni en la cuantía del cheque, tampoco en las buenas y convenientes relaciones con Palacio y menos en los afectos que siempre me han unido a la Policía como colombiana. No, solo pensé en mi deber profesional.

Tomar una decisión en caliente, mientras se está en vivo es un riesgo permanente para los directores de los medios. Se puede caer en desaciertos por la presión. Me atrevería a decir que prácticamente todos, o la mayoría, hemos tomado decisiones equívocas mientras estamos en directo. Parar, respirar, pensar y actuar, es una buena norma antes de decidir en momentos trascendentales del oficio.

En todo caso juzgar y tener la decisión adecuada después de ocurridos los hechos es fácil. Por eso todos somos tan buenos técnicos de futbol cuando se acaba el partido. Porque cuando el entrenador sale con sus hombres a la cancha y pierde, siempre pensamos en lo que ese técnico debió hacer y no hizo. Una tarea simple. Tal vez deberíamos pensar en el esfuerzo que hizo el equipo para ganar, para tener el mejor resultado, en sus buenas intenciones y en sus sacrificios. Por naturaleza somos destructivos y no constructivos.

Permítanme hacer una cariñosa reflexión. Si nuestro equipo periodístico había denunciado la corrupción en la Policía, y las investigaciones de las autoridades, basadas en esas denuncias, empezaban a avanzar y los denunciados habían dejado sus cargos ¿Por qué se unieron tantas voces para aplastar a la cabeza de las denuncias, pero pocas voces se han unido para exigir que se establezca la verdad?

Realmente una sociedad que prefiere matar al mensajero ¿Será una sociedad que va por buen camino para combatir la corrupción que hace tanto daño? Yo no soy perfecta. El video debió publicarse editado, pero debió publicarse, era una posible prueba judicial, en medio de una investigación donde hay muertos y otras vidas de por medio y sobre todo, una investigación que apenas despertó con las denuncias de la prensa.

Debemos luchar incansablemente por la protección del derecho a la intimidad, pero la intimidad no puede convertirse en el tiquete a la impunidad. Cuando de frente encontramos la ley todos debemos responder por nuestras actuaciones públicas y privadas y si se trata de funcionarios con mayor razón.